# LE REGARD DU GORILLE

Eugène Rutagarama
avec la collaboration d'Hubert Prolongeau

# Le regard du gorille

Fayard

Design : Cheeri
Photographie : Liz Gilbert

ISBN : 978-2-213-65614-4

*À Jeanne Francine, Angelo, Joëlle et Martial*
*pour tout !*

*À Katie Frohardt et Annette Lanjouw*
*pour notre complicité.*

*Beaucoup d'habitants de cette terre, d'animaux, de plantes, d'insectes, et même les micro-organismes, que nous considérons comme rares ou en danger actuellement pourraient ne pas être connus par les générations futures. Nous avons la capacité et la responsabilité [de les protéger]. Nous devons agir avant qu'il ne soit trop tard.*

Dalaï-lama

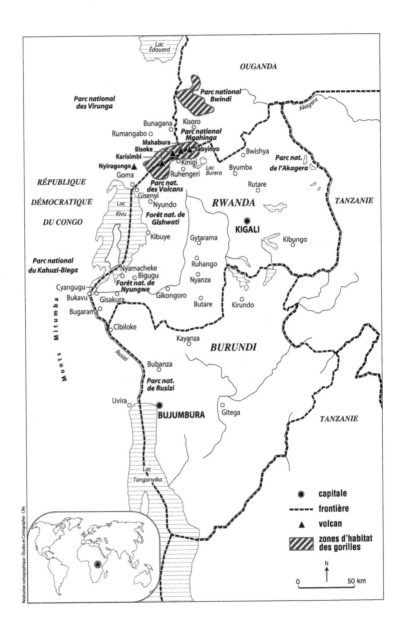

OUGANDA

Lac
Édouard

Parc national
des Virunga

Parc national
Bwindi

Akagera

Bunagana
Rumangabo ○  ○ Kisoro
Parc national
Mgahinga
Mahabura
Bisoke  ▲ ▲ Sabyinyo ○ Bwishya
Karisimbi  Parc nat.
Nyiragongo ▲  ○ Kinigi de l'Akagera
Goma ○  Ruhengeri ○ Byumba
Parc nat. Lac
des Volcans Burera
Gisenyi ○ Rutare
○ Nyundo RWANDA  TANZANIE
Forêt nat. de
Gishwati

RÉPUBLIQUE

DÉMOCRATIQUE

DU CONGO

Lac
Kivu

○ Kibuye ○ Gytarama ◉ KIGALI ○ Kibungo

Parc national
du Kahuzi-Biega
○ Nyamacheke ○ Ruhango
○ Bigugu
Cyangugu ○ Forêt nat. de ○ Nyanza
Bukavu ○ Nyungwe ○ Gikongoro
○ Gisakura ○ Butare ○ Kirundo
Bugarama ○

○ Cibiloke

Monts Mitumba

Rusizi ○ Kayanza

BURUNDI

○ Bubanza

Parc nat.
de Rusizi

Uvira ○  ○ Gitega
◉ BUJUMBURA  TANZANIE

Lac
Tanganyika

◉ capitale
---- frontière
▲ volcan
░ zones d'habitat
des gorilles

N
↑
0 _____ 50 km

Réalisation cartographique : Études et Cartographie - Lille

*Ce sont ces petites choses que les citoyens apportent [qui bâtissent une nation]. Ma petite chose est de planter des arbres.*

Wangari Maathai, Prix Nobel de la paix

J'en avais tellement rêvé... Et d'un coup, le rêve tourna au cauchemar. Nous étions en 1990. Mon frère, Charles Kayigamba, était même venu de Kigali pour m'accompagner. Tous les deux, nous avions mis nos chaussures de marche, puis été transbahutés en 4×4 sur un chemin totalement cabossé pendant que, derrière nous, la brume se levait, découvrant le fabuleux paysage des collines du Rwanda. Perdu dans un lourd nuage gris, le volcan Sabyinyo cachait sa crête pendant qu'à sa droite le Mahabura laissait à peine deviner ses flancs. Nous avions pris la suite de notre guide, franchissant avec lui le mur de pierres qui ceignait le parc, et commencé à monter dans la forêt, nous glissant entre les bambous et les eucalyptus. Je respirais à pleins poumons, tout excité à l'idée de ce qui m'attendait, gravissant les pentes sans difficulté. Pour la première fois, j'allais enfin être face aux gorilles des montagnes.

Soudain nous les aperçûmes, boules de poils noires cachées dans le vert des feuilles. Une famille, groupée autour du « dos argenté », ce mâle puissant qui dirige le groupe... Autour de lui somnolaient quelques femelles, et deux petits encore maladroits gambadaient. L'un d'eux grimpa sur un arbre, s'appuya à une branche trop légère qui cassa et tomba au sol. Il se releva, titubant, et marcha jusqu'à sa mère, qui lui ouvrit les bras pendant que le père, d'un œil vigilant, vérifiait que tout allait bien. Le spectacle me bouleversa. Je savais pour les avoir vues en photo la beauté de ces bêtes, je savais leur extraordinaire ressemblance avec nous, les humains, la tendresse de leurs relations, l'amour dont elles entouraient leurs enfants...

Et puis d'un coup... Que s'est-il passé ? Sans doute notre guide n'avait-il pas gardé entre nous et le primate la distance raisonnable. Le dos argenté, deux cents kilos au bas mot, se leva d'un bond et s'élança vers nous en grognant. Le garde n'eut que le temps de se jeter sur mon frère et moi pour nous plaquer à terre. Le grand singe se cabra et s'arrêta à un mètre de moi à peine. Pendant deux minutes qui me parurent durer un siècle, il resta là, me surplombant de toute sa puissance. J'étais étendu, la tête enfouie dans l'herbe. Et j'eus peur de mourir.

Prenant mon courage à deux mains, je levai furtivement le regard et croisai celui de la bête. Ses yeux, en un instant, passèrent du rouge sang à une couleur infiniment plus douce, d'une incroyable nuance oscillant entre le violet et le vert turquoise. Je ne sais s'il lut quelque chose en moi, s'il sentit et ma peur, et ma totale soumission, mais il fit marche arrière d'un pas lent et mal assuré.

Quand il fut suffisamment loin, nous nous relevâmes, tremblants. Le guide essaya de s'excuser, nous demandant par politesse si nous voulions continuer la visite, convaincu que nous souhaiterions rentrer. Mais nous répondîmes oui. Pendant l'heure suivante, plus rien ne se produisit. À nouveau, les jeux et les lentes ingestions d'herbes et de feuilles de la petite bande nous fascinèrent. Sachant les siens à l'abri, le grand chef semblait s'être totalement désintéressé de nous. Il avait protégé sa famille quand il l'avait crue menacée. Il n'y avait eu dans son attaque ni haine ni méchanceté, juste la simple précaution prise par un être qui aimait les siens et voulait les sauvegarder. Je savais, en redescendant, que jamais je n'oublierais le regard du gorille.

Au sortir du parc, alors que j'avais la tête encore pleine de tout ce que nous avions vu, nous avons croisé un groupe de jeunes gens. C'étaient des Rwandais, que rien, pas même la langue qu'ils parlaient, ne distinguait de nous. Ils étaient habillés sans ostentation. Nous nous apprêtions à les croiser et à les saluer quand, faisant comme s'ils ne nous voyaient pas, ils s'exclamèrent à haute voix : « Avez-vous vu ces serpents ? Ils sont à deux et se suivent. » Charles et moi continuâmes notre chemin, refusant de leur accorder la moindre attention. Mais ils nous rattrapèrent, demandant au guide : « Toi, guide, pourquoi est-ce que tu ne frappes pas sur la tête de ces serpents ? »

J'entendais ce mot « serpent » depuis que j'étais enfant. C'était l'un de ceux (comme « cafards » ou « cloportes ») qu'utilisaient les Hutus, l'une des deux grandes ethnies rwandaises, pour parler de nous, les Tutsis, l'autre ethnie. Un mot de haine que colportaient aussi les médias et les intellectuels hutus, un mot qui tentait de nous enlever notre humanité pour faire de nous des bêtes nuisibles. Quatre ans plus tard, un million de ces « serpents », un million des nôtres, allaient être tués par ces mêmes Hutus devenus fous. Mon père, ma mère, trois de mes frères, tomberaient sous leurs coups.

Et j'allais ensuite consacrer ma vie à sauver les gorilles des montagnes.

## CHAPITRE 1

# Enfance

Je suis né dans un paradis dont les hommes ont fait un enfer. Aujourd'hui encore, je connais peu d'endroits aussi beaux que mes collines du Rwanda, et je retourne sur la terre endeuillée qui m'a vu naître avec toujours le même émerveillement. J'ai vu le jour en 1955 dans le Kinyaga, une province du sud-ouest du pays. C'est une région frontalière qui fut peuplée dès le XV$^e$ siècle par des immigrés venus des autres parties du Rwanda et des pays limitrophes. Ils trouvèrent là une terre abondante et fertile, et s'y installèrent sans beaucoup de difficulté. Dans cette région verdoyante aux riches pâturages et au sol noir, promesse de plantureuses récoltes, la sécheresse était inconnue. Beaucoup de terrasses y ont été creusées, notamment pour cultiver le maïs, souvent par des bagnards qui, chez nous, sont vêtus de rose...

De chez moi, je pouvais contempler les plaines du Congo et la chaîne du Mitumba. Le vert de la végétation se mariait au rouge de la terre. Les collines se succédaient, suite de rondeurs couvertes de végétation. Des vaches paissaient, s'égarant parfois dans les bananeraies. Nous étions loin du Rwanda central, et proches du Congo : la frontière passait à quelques centaines de mètres de chez nous, et nous voyions les militaires manœuvrer sur les collines d'en face, à l'époque moins surveillées qu'aujourd'hui. Nous étions au cœur de tout cela, dans une terre d'excès où la végétation est luxuriante, les orages, diluviens, et où l'horizon se perd à l'infini. Aujourd'hui encore, quand je vois sur ces mêmes routes entre-temps goudronnées passer des enfants accompagnés d'animaux, vêtus simplement et jouant tout autant qu'ils travaillent, c'est moi que je revois…

## L'oncle François

Il était juge dans l'administration, et, à ce titre, craint et respecté, mais, pour moi, c'était seulement mon oncle François. « Assieds-toi, petit, et écoute. » J'aimais m'installer sur ses genoux et écoutais les histoires dont il me berçait. François Runyange n'était en fait pas le frère de mon père. Il n'était « que » son cousin, mais un cousin germain. Leurs deux pères s'aimaient tellement qu'ils avaient choisi pour nom de baptême de leurs fils le même prénom, François. François Runyange et François Nkeza, mon père, avaient presque le même âge. Quand je fus baptisé, des années plus tard, c'est lui qu'on me choisit pour parrain. Il passait pour l'érudit du village, même s'il n'avait pas fait d'études poussées et ne parlait pas le français. Ce qu'il me racontait me fascinait. Grâce à lui, l'histoire de ma famille se déroulait devant mes yeux. Je voudrais retrouver à mon tour pour la raconter la chaleur de sa voix, la douceur de ces moments avec lui. Mais l'écriture m'oblige à gommer ces nuances.

Il m'apprit que nous appartenions au clan des Banyiginya, du lignage des Banyabyinshi. Notre ancêtre, Byinshi, était le fils de Bamara, lui-même fils du roi Yuhi Gahima II. Byinshi était le cousin de Ruganzu Ndoli, roi du Rwanda qui régna au XVII$^e$ siècle. Ruganzu Ndoli est considéré comme celui qui fonda le pays après une longue période de domination étrangère où il était sous la coupe du royaume du Bunyabungo, situé dans l'actuelle République démocratique du Congo. Ruganzu II Ndoli, son fils, récupéra toutes les régions perdues sous le règne de son père et vengea ce dernier en tuant le roi du Bunyabungo. Qui a dit que l'homme africain n'avait pas d'histoire ?

Mes aïeux seraient alors venus du Ndorwa, dans le nord-est du Rwanda actuel. C'étaient des éleveurs nomades. Au cours des siècles, ils ont poussé leurs troupeaux de vaches de plus en plus vers le sud, à la recherche de pâturages. Quand ils ont atteint le sud-ouest du Rwanda, au XVIII$^e$ siècle, ils ont longuement séjourné dans l'actuelle région de Kibuye, au bord du lac Kivu, avant de s'installer au Kinyaga, pendant que d'autres continuaient le voyage vers les hautes montagnes herbeuses des monts Minembwe, y rejoignant d'autres pasteurs arrivés au XV$^e$ siècle.

Mon aïeul qui s'est fixé au Kinyaga s'appelait Kayego. Très vite, il s'installa à Gasambu, un lieu-dit au pied duquel coule la rivière Rusizi. Les vaches y étaient régulièrement conduites en transhumance pendant les longues saisons sèches. J'étais donc le descendant d'un roi et le fils d'un pasteur. J'avais comme terrain de jeux l'immensité de la forêt, comme horizon, celui sans limites du lac et des collines. Et j'étais un Tutsi. Mais ça, personne ne m'en parlait. Parce que, alors, ça n'avait pas d'importance.

Nous avions trois hectares de terres et une quinzaine de vaches que mon père menait paître loin de chez nous durant la saison sèche. Une quinzaine de vaches, c'était déjà beaucoup. Ça ne nous rendait pas riches, bien sûr, mais faisait de nous une famille aisée. Les pauvres, les vrais pauvres, eux, n'avaient que des chèvres. Mon père ne se contenta pas de son troupeau de vaches. Il fit du commerce avec le Congo et partit beaucoup plus loin. Ma mère, profitant de ce que notre maison était près de la route, y stocka des marchandises qu'elle vendait aux gens de passage : bière, savon… Dès que j'appris à marcher, j'aidai à garder ces vaches à longues cornes qui étaient toute notre fortune. Petits, nous étions chargés de garder les veaux pendant que les plus grands conduisaient les bêtes adultes. Puis ce furent les génisses. Nous les menions au pâturage le matin entre 8 et 11 heures, et l'après-midi entre 16 et 18 heures, et mêlions nos troupeaux à ceux de nos voisins pour pouvoir jouer ensemble. En face de chez nous se trouvaient deux collines, Nyamabuye et Kana ka Nyamabuye, le « petit de Nyamabuye ». Un ruisseau, aujourd'hui à sec, les séparaient, et les vaches le remontaient, puis le redescendaient, parfois le traversaient, sans que nous ayons besoin d'interrompre nos jeux. Sur le sommet de la colline de Nyamabuye se trouvait une petite forêt d'eucalyptus où vivaient des groupes d'antilopes. Beaucoup d'autres enfants allaient travailler au Congo, à deux heures de marche de chez eux. Une société de textile, Tax, les employait.

## L'antilope

J'avais huit ans et j'étais en vacances. Nous les passions à la maison, et chacun à son tour mettait la main à la pâte, quel que soit son âge. Cet après-midi-là, mes parents étaient aux champs et m'avaient laissé le soin de surveiller la marmite qui mijotait sur le feu, tâche dont je m'acquittais avec conscience. La chaleur du feu m'engourdissait. J'aimais bien les moments où j'étais laissé à moi-même, à la fois chargé d'une responsabilité que je prenais très au sérieux et libre de rêvasser tout mon soûl. Soudain, une clameur s'éleva. Des bruits de pas résonnèrent derrière notre maison. Je sortis. La rumeur se faisait de plus en plus forte, accompagnée par des aboiements de chiens.

Je longeai avec précaution notre mur. J'avais un peu peur, et cette peur m'excitait. Et, soudain, je la vis. Une petite antilope. Elle n'avait pas encore de cornes. Son pelage marron était trempé de sueur, ses pattes tremblaient. En me voyant, contre toute attente, elle ne bougea pas. Je reculai un peu pour ne pas l'effrayer. Pendant quelques instants, nous restâmes immobiles, les yeux dans les yeux. Le silence était absolu. D'un coup, d'un bond sur le côté, elle reprit sa course. Peu de temps après arrivèrent les chiens et les chasseurs. Je n'eus pas le courage de regarder l'hallali. Quand ma mère rentra, je lui racontai cet échange de regards qui m'avait retourné. Elle me sourit sans répondre.

Le soir, les chasseurs rentrèrent avec la dépouille de « mon » antilope. Tout le monde se précipita. On invoqua les esprits des ancêtres qui avaient permis la chasse et son succès :

« Ô esprit du sommeil profond de mon père, qui est prêt au départ avant les autres, le premier à tuer et à se parer des trophées, je t'invoque, viens que nous attaquions la forêt ! » Des rites magiques furent célébrés. Un des joueurs de cor avait cueilli les feuilles de certains arbustes et les avaient découpées avec une pointe de flèche avant de les glisser dans l'embouchure du cor en prononçant ces mots rituels :

« Je tue l'élan et l'antilope, je tue tout le gibier possible. »

Un autre chasseur simulait le tir en dirigeant sa flèche vers la terre :

« Que je tue l'animal vieux !

« Que je tue l'animal jeune !

« Que je tue l'animal près de mettre bas !

« Que je tue l'animal stérile !

« Que je tue les nouveau-nés !

« Que je les tue tous ! »

Le chasseur qui avait tué la jeune antilope a été raccompagné chez lui, comme le veut la coutume. Les autres se sont assis un moment dans son enclos. Un feu a été allumé, près duquel on a déposé la dépouille de la bête. Une fête a suivi. Pendant que certains dansaient, d'autres déclamaient, chacun présentant sa version de l'expédition. Je suis rentré brusquement dans la maison pour ne pas voir plus longtemps le cadavre de l'animal avec lequel j'avais échangé ce regard complice et intense. J'avais l'impression mêlée de honte de n'avoir pas su répondre à son appel au secours.

Faut-il aller chercher dans ces souvenirs d'enfance les premières traces de ce qui allait me pousser vers les animaux, ou n'est-ce qu'une facilité que s'autorise l'homme mûr ? Il me revient une autre anecdote. Vers la fin de mon école primaire, nos enseignants se mirent à nous raconter leurs visites au parc national de l'Akagera, une vaste étendue dans l'est du pays qui est aussi la plus belle réserve d'animaux du Rwanda. Ces récits me fascinaient d'autant plus que, à l'époque, le parc était difficile d'accès, et que sa simple évocation prenait à mes yeux une allure d'épopée. Un jour, notre professeur de sciences naturelles intégra des histoires d'animaux à son cours et nous les fit jouer : un groupe d'élèves devait expliquer les mystères de la faune et de la flore à un autre groupe. Je me passionnai pour cet enseignement d'un genre nouveau, qui connut immédiatement une grande popularité. Les guides du parc devinrent mes idoles. Je rêvais déjà de faire leur métier, de vivre, comme eux, parmi les bêtes. J'étais convaincu que les animaux possédaient un secret dont je n'avais même pas idée.

À moins que la clé de la nécessité que j'ai toujours ressentie de protéger tout être vivant ne se trouve dans l'histoire dramatique des persécutions que nous avons vécues. Je l'ignore. Je sais seulement que ces jeunes années furent les plus heureuses de ma vie. Et qu'à ce bonheur des premiers âges sont intimement mêlées dans mes souvenirs les images de ces animaux que j'allais m'épuiser à essayer de protéger.

Tandis que je grandissais, nos jeux se durcissaient. Nous essayions de nager dans la Rusizi, dont les flots étaient souvent impétueux. Nous sautions en hauteur et nous battions avec des bâtons. J'étais doué pour cet exercice. Je tenais fermement mon bâton, attendais les coups de mon adversaire, les parais sans que les vibrations dues au choc ne me fassent le lâcher. Je finis par pouvoir affronter trois adversaires d'un coup, me taillant parmi mes compagnons une solide réputation.

Le soir, je puisais de l'eau et je ramassais du bois, notre seule source de chauffage. Notre terre rendait bien. Le maïs et les haricots y poussaient abondamment. Les grandes feuilles des bananiers nous protégeaient de la pluie quand éclatait un de ces orages dantesques qui lavaient le ciel et transformaient en torrents boueux les pentes de nos collines. Nous faisions du troc avec une chefferie située plus loin dans la région, qui nous apportait des petits pois contre nos haricots. Mais jamais nous ne chassions. La chasse, c'était pour les autres, pour les « Congolais », disait-on non sans mépris… Mon père avait des ouvriers qui venaient travailler dans les champs. C'étaient des exilés, issus du Bwishaza ou du Nyantango, sur le lac Kivu, victimes de famines. Ils étaient venus au Kinyaga pour trouver de quoi survivre, traînant derrière eux leurs familles et leurs enfants. Très peu retournaient chez eux.

Deux d'entre eux ont été très proches de moi. Kiyoga et Ndaburizi étaient de Nyantango. Ils mangeaient et jouaient avec nous. Plus vieux que moi, ils m'apparaissaient comme des grands frères. Ils nous considéraient de même, prenant presque notre mère pour la leur. Ndaburizi surtout me fascinait par l'art avec lequel il jouait de la cithare. Souvent, le soir, il nous appelait, mes frères et moi. Nous nous asseyions en cercle autour de lui, pendant que le feu préparé pour notre nourriture éclairait les murs de la maison. Il commençait à chanter d'une voix grave une chanson, très populaire à l'époque, qui lui avait valu le surnom de Kamananga : « Toi, Kamananga, fils de Sebajura, qui sembles excité d'aller au champ de bataille, es-tu sûr de revenir sain et sauf ? » Parfois, quand il chantait, des larmes lui échappaient, qu'il essuyait avant que nous les ayons vues. « Pourquoi pleures-tu ? » lui demandai-je un jour. Il me regarda, comme il aurait regardé un adulte. « Petit frère, tes parents sont devenus les miens. Ils me traitent bien. Ils me donnent à manger, à boire, m'offrent un toit et me paient bien pour mon travail. Mais j'ai aussi des parents que j'ai quittés il y a des années et dont je suis sans nouvelles. Je ne parviens pas à épargner suffisamment d'argent pour pouvoir rentrer chez moi. Je commence à désespérer qu'ils meurent avant que je ne les revoie. » Je lui ai souri sans comprendre la profondeur de son chagrin.

C'est seulement des années plus tard que j'ai compris la douleur de Ndaburizi. J'étais tutsi. Il était hutu. Ma mère allait être l'une des victimes du génocide perpétré par les siens. Je ne l'ai revu qu'après les événements. Il n'était jamais retourné chez lui ; il avait vieilli. Il m'a dit en pleurant :

« Ces assassins ont tué ma mère, ta mère, la femme qui a pleinement remplacé ma vraie mère. J'aurais dû la protéger et mourir avec elle. J'ai un remords indescriptible, je n'ai plus de raison de vivre. » Il est mort un an plus tard, de maladie, de pauvreté et de chagrin.

## Mon père

Je voyais mon père moins que je ne l'aurais souhaité. C'était un homme très noir de peau, à l'inverse de ma mère. Il avait trente-quatre ans à ma naissance, était de taille moyenne, mais élancé. Très irascible, il nous faisait sentir durement sa présence quand il était là. Mais il était souvent absent, voyageant beaucoup pour affaires, et séjournant régulièrement au Congo. Avec d'autres fermiers du Kinyaga, il allait acheter des vaches à Ruhango, dans le centre du pays. Parfois même, ils montaient jusqu'au Nord, à Rutare, près de la frontière avec l'Ouganda. Les bêtes achetées étaient ensuite conduites jusqu'au Kinyaga, avant d'être revendues au Congo. Pendant de nombreuses années, ils ont fait ce trajet à pied. Puis mon père et ses amis les confièrent à des agents qui les conduisaient à leur place jusqu'au Kinyaga. Voyageant en autobus, ils les attendaient à Cyangugu pour la vente des bêtes.

À cette époque, mon père était reconnu comme un grand danseur *intore*. Chez nous, c'était très important. En kinyarwanda, *intore* signifie littéralement les « élus » ou les « meilleurs ». Regroupés en phalanges appelées *Itorero*, les jeunes nobles du Rwanda précolonial s'initiaient au maniement des armes et développaient leurs talents d'orateur, de stratège et de meneur d'hommes. C'était une formation rude, militaire, une école d'endurance (on y mangeait peu) et d'éloquence, où l'on apprenait aux danseurs à s'exprimer avec finesse et à maîtriser cette sagesse rwandaise qui s'exprime pleinement dans les proverbes dont notre langue est tissée. Les danseurs *intore* exécutent des pantomimes guerrières organisées sur plusieurs lignes, comme sur un champ de bataille. La danse est soutenue par des chants et des poèmes épiques exaltant les valeurs pastorales et guerrières. L'indépendance a fait tomber dans l'oubli ces coutumes et les valeurs qu'elles véhiculaient. Aujourd'hui, les ballets sont devenus de simples numéros de répertoire. Grâce à cette formation, mon père avait été envoyé à la cour du roi Rudahigwa et dans toutes les régions du pays. Il avait même enseigné la danse *intore* dans des écoles secondaires et au prestigieux collège des frères maristes de Nyangezi, en actuelle RDC. Je me souviens de ma fierté les jours où il dansait. J'aurais aimé faire comme lui. Quand, dans les années 1990, mes enfants ont à nouveau dansé, parce que le FPR (Front patriotique rwandais) voulait utiliser cette culture pour recréer une cohésion nationale, cela m'a rempli de joie.

Ma mère était une femme assez réservée, très calme, qui jamais ne se mettait en colère. Alors que mon père tonnait et punissait, elle passait souvent derrière lui pour atténuer sa sévérité. Elle parlait peu, mais un regard suffisait pour que nous marchions droit. J'avais six frères et sœurs. Elle avait perdu quatre enfants. La mortalité infantile était très forte alors. Notre maison, recouverte de paille, se trouvait sur une route qui reliait Bukavu, au Congo, à Bujumbura, au Burundi. À cette époque coloniale, Bukavu était une villégiature pour les colons belges, qui seuls pouvaient se permettre un tel luxe. Être ainsi tournée à la fois vers le Congo et le Burundi faisait du Kinyaga une région à part. L'ancien président Grégoire Kayibanda lui-même commençait certains de ses discours par : « Rwandais, Rwandaises, et vous, les habitants du Kinyaga ! » Dans mon enfance, presque tous les adultes de ma colline travaillaient dans les industries de Bukavu. Ils parlaient plusieurs langues : en plus du kinyarwanda, le kiswahili, la langue de communication dans la ville de Bukavu, et parfois le mashi, le dialecte des Bashi, population de Bukavu et de ses faubourgs. Nous étions très fiers d'être de cette région, avec un chauvinisme un peu bête, d'autant qu'au Rwanda on nous percevait parfois comme des étrangers. J'ai joué toute mon enfance avec des Congolais, qui étaient chez nous comme chez eux. Nous étions tous éleveurs. Nous parlions la même langue. À l'heure des drames, ce mélange interculturel a renforcé les liens de solidarité au sein de cette communauté, aussi bien au Rwanda que dans la diaspora.

Cette route m'a ouvert sur le monde. Notre maison, je l'ai dit, était devenue aussi un petit magasin. Aussi les visiteurs y venaient-ils nombreux, et il y avait toujours de la place pour eux. Les gens faisaient souvent de longues distances à pied. Il n'y avait pas d'hôtels pour les loger, et l'hospitalité était un devoir. Marchands, paysans, voyageurs allant retrouver leurs familles s'arrêtaient chez nous, y mangeaient, y dormaient. Les confrères de mon père dans le commerce y séjournaient régulièrement, certains plus d'une semaine. Ils couchaient dans les quatre coins de nos deux maisons, et nos voisins s'empressaient de tenir compagnie à ces visiteurs. Ces derniers aidaient ma mère à faire la cuisine pour tout ce monde. Jamais je n'ai vu mes parents se plaindre de ces visites qui leur coûtaient sans doute cher, mais leur assuraient un prestige social incomparable. Et, pour nous, les enfants, ces moments étaient bénis. Mon père faisait souvent abattre un bœuf ou une vache stérile pour les repas. Il fabriquait du vin de banane et allait souvent en distribuer aux voisins. Tout le monde y avait droit, sans aucune considération ethnique. Ces gens venus d'ailleurs partageaient leurs histoires. Mon père n'était pas un bon conteur quand il était seul avec nous en famille. Mais, dans un groupe, il se lançait dans des histoires à faire rire même les sourds, tant il gesticulait avec passion ! Chacun parlait dans sa langue. Mais tous se comprenaient dans cette tour de Babel improvisée.

## 1959 : premier exil

« *Inkongi !* » Le cri nous prit tous par surprise. Mon oncle Ambroise Iyamuremye arrivait en courant, échevelé, tendant le bras vers la colline d'en face. Là, nous vîmes un nuage de fumée qui s'élevait, rabattu vers nous par les vents, et des flammes. « C'est la maison de Sengamungu qui brûle, nous dit Ambroise. Il faut partir. Ils sont arrivés. » Mes parents bondirent. Comme la nôtre, la colline d'en face était habitée presque entièrement par le seul lignage – tutsi – des Abahima. La panique s'empara alors de tous. Mes parents ramassèrent quelques affaires et nous arrachèrent à nos jeux. Ceux qui avaient des enfants à l'école se précipitèrent pour les récupérer. L'un de mes frères était hors de la maison, il fallut aller le chercher. Enfin, nous fûmes prêts et nous glissâmes dans la foule des *abanandyuga*, la colonne des réfugiés qui, depuis plusieurs semaines, passaient tout près de notre maison. Il y avait très peu d'hommes parmi eux. J'appris plus tard qu'ils avaient presque tous été tués.

Inconscients comme tous les enfants de notre âge, nous avions regardé avec curiosité ces cohortes. Elles créaient un événement dans notre petite vie, et nous étions surtout amusés par leurs tenues :

les femmes portaient toutes des robes noires, alors que chez nous elles étaient vêtues de pagnes. Ces robes, qui avaient des manches courtes, tombaient jusqu'aux pieds, et nous les appelions *rukacarara*, du nom d'un tissu qui était noir de jais. En riant et en les montrant du doigt, nous les suivions jusqu'à ce qu'elles s'éloignent. Pourtant, malgré ces jeux, j'ai noté le silence de ces femmes, le chagrin sur leurs visages et surtout leur fatigue. Nos mères se concertaient et rassemblaient de la nourriture pour elles et du lait pour leurs enfants avant de les laisser continuer leur route pour le Congo.

Et voilà que nous nous retrouvions parmi eux ! J'avais cinq ans et beaucoup de mal à tenir le rythme. Ma mère me portait parfois, et j'appuyais sur son épaule ma tête devenue bien lourde, en retenant mes larmes. Mes frères non plus ne comprenaient pas, et personne ne nous donnait d'explications. « Où on va, maman ? » demandais-je. Et on me répondait de continuer à marcher. La descente vers la Rusizi fut périlleuse. Nous traversâmes en pirogue. Des mots volaient, que je ne comprenais pas : « Tutsi », « massacres », « pogroms »… Certains hommes s'étaient joints à nous : c'étaient des survivants en fuite.

La discrimination ethnique entre Hutus et Tutsis n'est pas une donnée immuable de notre histoire. Elle a été volontairement créée par les colonisateurs allemands puis belges, qui se sont arrangés pour favoriser à tour de rôle l'un ou l'autre des groupes de manière suffisamment complexe et brouillée pour que chacun puisse se croire supérieur à l'autre. Quand, en 1894, les Allemands ont envahi notre pays – à l'époque beaucoup plus vaste qu'il ne l'est aujourd'hui –, les termes de « Tutsi », « Hutu » et « Twa » désignaient moins des ethnies que des catégories socioprofessionnelles (agriculteurs, éleveurs, potiers). Tous les Rwandais parlaient la même langue et avaient la même foi traditionnelle en un dieu unique, Imana. Les mariages mixtes étaient fréquents. La distinction entre Tutsis et Hutus relevait ainsi plus d'un système social que de réalités ethniques. Un Hutu qui possédait plusieurs têtes de bétail pouvait, de ce fait, devenir tutsi, de même qu'un Tutsi pouvait devenir hutu. Mais les Allemands crurent voir une supériorité génétique des Tutsis. La finesse de leurs traits aurait été la preuve d'une supériorité sur les Hutus, considérés comme inférieurs. Nous, « nègres blancs », serions descendus des Européens et viendrions d'ailleurs. J'ai pendant toute mon enfance entendu cette accusation d'être « étranger » au pays.

Les Belges, qui prirent cette colonie après leur victoire sur les troupes de l'Est africain allemand durant la Première Guerre mondiale, assumèrent la situation qu'ils trouvèrent en s'installant et s'en remirent aux Tutsis pour assurer l'autorité sous la tutelle de l'administration coloniale. Ce choix fut encouragé par la Société des Nations, qui, ayant confié la tutelle du Rwanda et de l'Urundi à la Belgique, considérait la situation héritée de la colonisation allemande comme un état social multiséculaire. Désormais, les Tutsis eurent donc seuls accès aux études et à la gouvernance, tandis que les Hutus et la petite part des artisans twas furent cantonnés aux activités subalternes. En 1931, une carte d'identité ethnique fut mise en place par l'administration belge, indiquant le groupe auquel appartenait le citoyen : tutsi, hutu ou twa.

Ces ferments de discorde ont « racialisé » notre pays en structurant son organisation sociale. Des intellectuels, enseignants, ethnologues, universitaires, ont ainsi accrédité le mythe d'une société rwandaise composée de Tutsis évolués et de Hutus faits pour obéir. L'Église a été partie prenante de cette réécriture de l'histoire, développant une prédication fondée sur le thème de la libération du peuple hutu opprimé par les Tutsis. Le Manifeste des Bahutu, rédigé en 1957 par Grégoire Kayibanda, secrétaire particulier de monseigneur Perraudin, deviendra le texte fondateur de cette politique ethniste. Les Hutus créent leur propre parti politique en 1959 : le Parmehutu. Des Tutsis sont pourchassés, des maisons incendiées ; ils fuient par milliers les premiers massacres en Ouganda, au Burundi et au Congo-Kinshasa. Une lettre pastorale de monseigneur Perraudin, datée du 11 février 1959, justifie cette chasse aux Tutsis.

En 1959 est lancé ce qu'on a appelé « la révolution sociale », véritable levain du génocide. À l'heure de l'indépendance, les Belges ont choisi de favoriser les Hutus et de leur donner tous les postes de pouvoir qui étaient entre les mains des Tutsis et qui leur avaient été refusés depuis des années. Plusieurs dizaines de milliers de Tutsis ont alors fui. Ils ont dès lors été perçus comme une menace permanente par les dirigeants hutus, qui craignaient leur désir de reconquérir le pouvoir. Depuis, l'habitude (comment peut-on écrire un mot pareil pour parler de la tuerie régulière de milliers d'êtres humains ?), l'habitude a été prise, à chacune de leurs tentatives de retour, tentatives au début désorganisées et repoussées par l'armée, de massacrer quelques milliers de ceux qui étaient restés au pays. Cela m'a contraint à fuir par quatre fois.

C'est donc le 1er novembre 1959, le jour de la Toussaint – d'où l'appellation de « Toussaint rwandaise » – qu'ont commencé les tueries. Orchestrées par les chefs du parti Parmehutu, elles avaient débuté dans la région de Marangara et se répandirent comme un feu de brousse dans tout le pays. Dans les territoires du Bufundu et du Nyaruguru, régions séparées de notre territoire, le Kinyaga, par la seule forêt de Nyungwe, elles prirent l'ampleur de pogroms. Plus de 20 000 Tutsis furent tués, leurs biens pillés et leurs maisons brûlées.

Ce jour-là, je compris que j'étais tutsi. Car nous fuyions. Pour la première fois de ma vie, je découvrais cette peur, le sentiment d'être un paria qui ne devait cesser m'accompagner, et dont, aujourd'hui encore, je ne me suis pas totalement défait. La route devant moi était couverte d'une foule de réfugiés sous les pieds desquels le rouge de la latérite volait en fine poussière. Tous, nous nous dirigions vers la Rusizi pour rejoindre le Congo. Je courais derrière mes parents, qui nous faisaient avancer comme un troupeau, sans beaucoup de ménagements pour nos petites jambes. J'étais fatigué et j'avais très envie de pleurer, mais sentais bien que ce n'était pas le moment. Pour atteindre la rivière, il fallut se jeter dans la pente, parmi des dizaines d'autres réfugiés. En bas, l'eau roulait des flots agités, et elle me parut plus sombre, plus agressive que d'habitude. Nous attendîmes pendant des heures les pirogues qui devaient nous faire traverser. Les gens se bousculaient ; deux ou trois tombèrent à l'eau. Après la traversée, ma mère nous donna quelques morceaux de patate douce pour calmer notre faim : nous étions entrés clandestinement au Congo.

Les gens ne semblaient pas savoir où ils allaient. Leur seule certitude, c'était que, de l'autre côté de la Rusizi, la sécurité était garantie. Des guetteurs, à l'arrière, tentaient de voir si des tueurs nous suivaient. Mais personne ne venait. Petit à petit, les gens s'ébranlèrent. Certains avaient des points de chute au Congo, d'autres cherchaient simplement un endroit où poser leurs hardes.

Nous n'y restâmes que quelques semaines, dans une famille amie avec laquelle mon père commerçait. Nous étions trop nombreux pour leur maison, et dûmes nous entasser les uns sur les autres. Nos parents traversaient presque tous les jours la frontière et nous rapportaient de quoi manger, car nos hôtes ne pouvaient subvenir à nos besoins. De jour en jour, ils semblaient plus optimistes. La situation avait l'air de se calmer, et l'incendie de la maison de Sengamungu n'avait été qu'un fait isolé. Un jour, maman nous annonça que nous allions rentrer. J'étais heureux. Les gens au Congo étaient très gentils, mais je sentais bien que je n'étais pas chez moi, qu'il y avait quelque chose d'anormal dans ce qui nous arrivait. En rentrant chez nous, la vie reprendrait son cours...

Nous avons retrouvé notre maison après un voyage qui m'a paru bien plus court que celui de l'aller. Rien n'avait été touché. En fait, les sympathisants actifs du Parmehutu étaient encore très minoritaires dans notre région. Nous les voyions parfois à l'église (une petite église de briques rouges), et leurs déguisements comme leurs chants paraissaient à mes jeunes yeux plus amusants que menaçants. La mise à feu n'avait été provoquée que par une poignée de fanatiques qui n'étaient pas encore coordonnés par la branche nationale du parti – ce qui n'allait pas tarder.

La vie a repris. Pourtant, quelque chose avait changé. Avec nos voisins, l'ambiance n'était plus la même. Le Parmehutu gagnait du terrain, et certains ont commencé à s'afficher publiquement comme membres du parti. Les jeunes qui y adhéraient recevaient des entraînements paramilitaires et passaient des journées entières à défiler en chantant des chants haineux : « *Abatutsi bose bazajya i Nyamata, aka-zasigara kose tuzagaca umutwe ; iyumvire LUNARI icyo washakaga !* » (« Tous les Tutsis iront à Nya-mata, nous couperons la tête à l'avorton qui va res-ter ; entends, UNAR[1], ce que tu auras voulu ! ») Si je n'avais jamais entendu mon père faire de commen-taires sur les partis politiques – il savait à peine ce que c'était –, en tant que Tutsi, il était fiché comme membre du parti UNAR, et les jeunes du parti Par-mehutu venaient lui rappeler qu'il avait perdu les élections de 1961 : « *Ko itora mwisabiye ari ryo ribakozeho, Loni yindi izava he ? Turatsinze ga we, turatsinze !* » (« Puisque vous venez de perdre les élections que vous avez vous-mêmes réclamées, d'où viendra une autre ONU ? Nous avons vaincu sans appel, nous avons vaincu ! »). Du haut de mes cinq ans, je comprenais l'insulte et sentais le désar-roi de mes parents. Pourtant, insouciance d'enfant, j'ai parfois eu envie de sortir et de chanter avec eux, simplement parce qu'ils avaient l'air gais. Ils nous attendaient même après la messe à laquelle j'assis-tais le dimanche dans la grande église en bois de Nyamagana. Quand nous sortions, nous les voyions devant nous qui s'approchaient et nous hurlaient : « Voir un Hutu portant un pantalon, c'est comme voir Jésus montant au ciel ; voir un Tutsi portant un pantalon, c'est comme voir un lézard grimpant sur un arbre. »

Le père blanc qui disait la messe regardait en souriant ce qu'il devait considérer comme des enfantillages. Ou était-il moins inconscient qu'il ne le paraissait ? On sait maintenant le rôle qu'a joué l'Église dans le génocide : plusieurs prêtres ont laissé faire, voire favorisé les massacres, et certains ont été condamnés. Des églises, prises pour des sanctuaires, ont été livrées aux milices interahamwe et ont souvent brûlé avec des réfugiés à l'intérieur ; d'autres sont restées portes closes quand les tueries se déchaînaient à l'extérieur. Deux sœurs, sœur Gertrude et sœur Maria Kisito, ont fourni l'essence aux tueurs qui ont mis le feu à un garage et à une infirmerie où 2 000 personnes s'étaient réfugiées. Et les Belges diffusaient à longueur de journée des messages selon lesquels les Tutsis étaient les véritables colonisateurs, tandis que les colons belges devenaient – comme par magie – les défenseurs des Hutus. Mentez, mentez, il en restera toujours quelque chose.

## Bannis

La persécution de mes parents prit une nouvelle dimension lorsque le pouvoir décida de nous bannir, en 1963. La mesure, draconienne, visait à « couper » nos familles des autres membres de notre société. Il y eut une cérémonie publique. On nous traita de cancrelats, on nous accusa de collaborer avec des réfugiés tutsis venus du Congo. Le bourgmestre dirigeait les débats, fier de son pouvoir, haranguant du haut d'une estrade hâtivement dressée une foule trop passive. Il faut que je parle un peu plus de ce personnage, car il est symptomatique de la mentalité de ceux qui ont permis le génocide. C'était un voisin illettré et très pauvre. Dans les années 1950, il était porteur. Quand le parti Parmehutu a été créé, il s'est engagé tout de suite et a su se rendre utile. Il a rapidement monté les échelons pour devenir le numéro deux du parti dans la commune. En même temps qu'il progressait, il a réussi à s'enrichir. Fortune faite, il a commencé à harceler les Tutsis. Personne n'a vraiment protesté. Ses enfants étaient des voyous qui jalousaient notre réussite scolaire et nous pourchassaient. Je ne sais s'il a participé ou non au génocide. Un de ses fils a été accusé de l'avoir fait.

Nous étions donc « bannis ». Nous pouvions rester sur place, mais personne ne pouvait ni nous rendre visite, ni travailler pour nous, y compris nos parents. Fini les visites aux voisins, fini les joyeuses réunions autour de vin de banane : nous vivions comme des pestiférés. Je rentrai seul de l'école, plus aucun ami ne venait jouer à la maison. Parfois, à la tombée de la nuit, mes parents nous confiaient des calebasses de boissons à porter à la famille et aux amis. Nous nous glissions dans le noir, et, de champ en champ, allions jusque chez nos oncles, qui nous ouvraient et acceptaient nos offrandes, en nous regardant d'un air apitoyé, comme si tout cela ne devait être qu'un pénible épisode de plus. Et c'en fut un. Cette absurde mesure fut finalement levée. Mais je sentis qu'elle avait profondément marqué mes parents, plus encore peut-être que l'obligation de fuir, trois ans auparavant. Ils avaient peur désormais, peur de contraintes plus vexatoires encore, peur de devenir les jouets d'un arbitraire absolu. Mon père avait perdu tout son entrain, et nous le voyions beaucoup plus qu'avant à la maison, laissant de côté les affaires qui le motivaient tant auparavant. Souvent nous croisions des gens qui n'auraient jamais osé lui manquer de respect et qui, maintenant, ne répondaient plus à ses saluts ou se détournaient avec ostentation sur son passage.

Ces désagréments personnels allaient se fondre dans une histoire qui ferait de nous les pions de forces qui nous dépassaient. Quand les combattants exilés ont attaqué, en 1963, en passant par le Bugesera, puis par le Bugarama, à la frontière séparant notre préfecture, Cyangugu, du Burundi, notre région ne put plus échapper aux représailles du pouvoir. Le premier massacre important au Rwanda eut lieu en décembre 1963. Entre 8 000 et 12 000 personnes périrent. Le journal *Le Monde* évoqua un « génocide », et Radio Vatican parla à ce moment-là du « plus terrible génocide jamais perpétré depuis celui des Juifs ».

## 1964 : *deuxième exil*

« Les enfants, réveillez-vous ! »

La main de ma mère me secouait sans cette tendresse qui lui était habituelle. Je sentais la tension dans sa voix.

« Eugène, lève-toi. Et aide tes frères à se réveiller ! »

J'ouvris péniblement les yeux. Il faisait nuit.

« Pourquoi, maman ? »

Elle ne me répondit pas.

« Prenez chacun une couverture, et suivez-moi. »

Déjà, d'une main habile, elle enveloppait mon petit frère et l'attachait sur son dos. Il regardait, étonné comme nous de ce remue-ménage.

Nous étions cinq enfants en âge de marcher, plus le bébé. C'était en avril 1964. Bientôt, nous fûmes dehors. Le vent soufflait et je frissonnai. Je mis sur mon dos la couverture, mais je compris très vite qu'elle était là moins pour nous protéger de la froidure de la nuit que pour nous permettre de tousser en étouffant le bruit. Dehors, je reconnus la lourde silhouette de Bikombe, un de nos voisins. Sa présence m'étonna : plusieurs fois, je l'avais vu parmi les bandes de Hutus qui venaient nous insulter et tourner autour de ma mère en chantant des chansons odieuses. Que faisait-il là ? Avait-il soudain changé de camp, ou allait-il nous mener à un piège ? J'interrogeai ma mère du regard, et elle me répondit par un ordre muet : « Eugène, ne dis rien et suis-nous. »

Nous nous mîmes à marcher derrière Bikombe. Deux ou trois fois, il nous fit nous accroupir, craignant le passage d'un groupe hutu. Mais il n'y en eut aucun. Bikombe savait où étaient les rondes et les évitait. Nous avons descendu la colline à travers les bananeraies touffues et longé le lit marécageux du petit ruisseau qui nous séparait de la colline d'en face. À chaque pas, de gros chardons nous piquaient, mais nous serrions les dents et continuions. Plusieurs fois, Bikombe nous demanda de nous arrêter et de l'attendre pendant quelques minutes. Chaque fois, craignant de voir surgir une horde de Hutus hurlant, je serrai la main de mon petit frère. Nous pouvions sentir la tension chez notre guide, qui jouait sans doute gros à nous faire passer ainsi. Parfois les voix de patrouilleurs nous parvenaient dans notre cachette. Nous ne savions pas si Bikombe allait nous livrer. Mais nous n'avions pas d'autre choix que d'attendre.

D'attente en attente, de cachette en cachette, nous avons fini par arriver au bord de la Rusizi. Là, dans l'obscurité, une pirogue nous attendait, que mon père nous avait fait envoyer. Ma mère nous fit monter dedans. Puis je la vis retirer de sous son pagne une liasse de billets qu'elle tendit à Bikombe. Il les lui arracha des mains et partit en flèche pour disparaître dans la nuit. Le bateau se mit en branle. Dix minutes plus tard, j'étais dans les bras de mon père, que je n'avais pas vu depuis cinq mois.

Il nous avait quittés à la fin de l'année précédente. Le 25 décembre 1963, le jour de Noël, alors que des dizaines de fidèles étaient assemblés dans l'église catholique de Mururu, située à trois kilomètres du chef-lieu de la préfecture de Cyangugu, des camions de l'armée gouvernementale s'étaient postés à la sortie. Des hommes armés en étaient descendus et avaient pris place devant les différentes entrées. À la fin de la messe, ils trièrent ceux qui sortaient. Les Tutsis furent mis de côté ; les autres purent rentrer chez eux. Puis les camions prirent la route de la forêt de Nyungwe, où les premiers furent tués et enterrés dans des fosses communes. Mon père n'était pas à la messe ce jour-là. Il s'était rendu au Congo pour affaires. La nouvelle du massacre se répandit vite, si bien qu'il y resta.

La chasse aux Tutsis commença alors sur nos collines. Autour de nous, dans la plupart des familles, il n'y avait plus guère que des femmes et des enfants. Les hommes avaient, dans trop de cas, déjà été tués, et ceux qui n'étaient pas morts avaient fui. Tous les jours, nous attendions des nouvelles terribles. Et elles arrivaient. Nous apprîmes ainsi que mon oncle Théophile Sebulikoko et son cousin Vénuste Mukeshimana avaient été capturés et abattus sur-le-champ. Deux autres de mes oncles, Ambroise Iyamuremye et François Runyange, que j'ai déjà évoqués, furent conduits aux cachots communaux et torturés pendant plusieurs jours. Ambroise fut exécuté. François, par miracle, s'en sortit, mais il souffrit jusqu'à sa mort des séquelles de ces tortures. En 1994, il fut exécuté d'un coup de machette.

Tout au long de l'année 1964, nous fûmes soumis à un harcèlement quotidien. Sous prétexte de rondes nocturnes, les responsables locaux du Parmehutu passaient de foyer en foyer pour réclamer en plein milieu de la nuit des rations de nourriture et de boisson qu'ils prenaient en insultant leurs hôtes. Parfois, ils s'amusaient en emmenant avec eux des femmes et des enfants et en les obligeant à rester plusieurs heures dans les eaux glacées de la Rusizi. Au petit jour, ils les relâchaient en riant.

Ma mère avait peur d'eux. Je la revois pâlir en entendant leurs chants, s'affairer à quelque chose en espérant qu'ils passent sans s'arrêter. C'est ce qu'ils faisaient, parfois. D'autres fois, ils criaient : « Tiens, si nous allions voir si des cloportes sont là. » Et ils entraient. « Alors, les cafards, on nous attendait ? » Ils s'asseyaient, nous insultaient et exigeaient à boire et à manger. Ma mère leur préparait alors quelque chose et les servait. Ils mettaient la main au plat, en recrachaient un peu, juraient que c'était immangeable mais finissaient les écuelles, et nous voyions ainsi disparaître dans la peur et le mépris ce que nous avions eu l'habitude de voir consommé dans les rires et la joie. Parfois, après qu'elle leur avait servi un repas copieux, elle était sommée de les suivre dans leurs rondes. Pour se protéger contre le viol, elle sortait avec son bébé sur le dos et se faisait accompagner par mon grand frère, Égide Kabandana, qui n'avait que quatorze ans à l'époque. Elle n'en a jamais parlé. Mais aujourd'hui encore, je n'ai pas la certitude que cette précaution ait été suffisante. Les viols sont un sujet dont on ne parle pas. On ne peut que constater que beaucoup de femmes dont les maris ont été tués dans les massacres de 1964 ont ensuite eu des bébés…

Cela ne pouvait pas durer. Par le truchement de ses amis restés au Rwanda et en achetant Bikombe, mon père parvint à organiser notre fuite depuis le Congo. Une fois dans ses bras, je sus que notre dangereux voyage était fini. Avec lui, nous allâmes chez un de ses associés, Kaserere. Il nous prêta sa maison le temps nécessaire. Mon père avait encore suffisamment d'argent pour nous entretenir en exil, mais il n'était plus question pour nous d'aller à l'école. Cette vie d'errants dura un an. En 1965, quand le régime Parmehutu arrêta momentanément les tueries et les persécutions des Tutsis, mon père usa à nouveau de ses relations pour demander le rapatriement de notre famille. Un jour, il nous annonça que nous rentrions. J'étais heureux de retrouver notre maison, mais nous eûmes moins de chance qu'en 1959 : tout avait été pillé. Nos vaches avaient été confisquées par le bourgmestre et ses amis. Mon père fit tout ce qu'il put pour les récupérer. La capacité de mes parents à tout reconstruire m'émerveille encore aujourd'hui. À trois reprises ils ont dû recommencer à zéro et jamais ils ne se sont découragés. Ainsi, mon père intenta plusieurs procès pour récupérer ses biens, allant jusqu'à la Cour suprême, à Nyanza. En vain. Ces procès étaient truqués, mais il ne s'en apercevait pas. Encore pouvait-il s'estimer heureux que sa famille soit toujours en vie. Beaucoup d'autres n'avaient pas eu cette chance.

La vie quotidienne reprit, mais tout était changé. Nous étions désormais marqués, méfiants, craintifs. À l'école, l'ambiance était détestable, les insultes, fréquentes. Même les adultes s'amusaient à m'attraper pour me tordre le nez de leurs grosses mains : il n'était pas épaté, et cela était considéré comme caractéristique des Tutsis. Nous dûmes nous habituer à nous faire traiter de « cloportes » et de « cafards », termes qu'allait reprendre Radio Mille Collines, cette station très écoutée qui distillait à longueur de temps une propagande haineuse contre les Tutsis et les Hutus modérés. Pis : des quotas avaient été institués qui interdisaient aux Tutsis certains postes, certains emplois et certains examens. J'en ai pris conscience vers la fin de l'école primaire. J'avais toujours été bon élève. Mes parents ne plaisantaient pas avec l'éducation, et il n'était pas question pour moi, comme pour certains autres enfants du voisinage, de passer plus de temps avec les bêtes que devant mes leçons. On m'avait même surnommé « *sapiens* », pour se moquer gentiment du côté un peu docte que j'avais à l'époque. J'avais envie de réussir, de devenir instituteur ou enseignant : dans les années 1965, pour les gens de mon milieu, c'était le mieux qu'on pouvait espérer, et c'était à portée de main. Mes parents, encore un peu naïfs, m'avaient envoyé demander à mon professeur si j'avais réussi mes examens. La première fois, j'y allai. Il avait prétendu ne pas savoir, mais j'avais compris : un Tutsi, aussi brillant soit-il, ne pouvait pas réussir, parce que les postes à pourvoir étaient d'emblée réservés aux Hutus. La deuxième fois, j'ai fait sem-blant d'y aller : je connaissais déjà la réponse, et ne pouvais rien y faire. L'un de mes cousins, qui était professeur, devait remplir les fiches de ses élèves en inscrivant « Tutsi » ou « Hutu ». Il savait, ce faisant, qu'il condamnait certains enfants, y compris ceux de sa famille, mais il n'avait pas le choix.

En 1965, en rentrant, nous avions senti une dis-crimination. Deux ans plus tard, c'était une franche coupure sociale.

## Au-delà de la rivière

« Où est ton père ? »

Le soldat se tenait debout devant moi, sa mitraillette en bandoulière, le doigt sur la détente. Trois de ses hommes l'accompagnaient. Ma mère sortit de la maison pour aller vers eux. Nous étions en 1967. Après la réélection de Kayibanda, en 1965, la monopolisation du pouvoir par le parti Parmehutu était totale. Des divisions internes éclatèrent alors, dont les exilés rwandais tentèrent de profiter pour attaquer à nouveau le pays. Et l'armée partit une fois de plus à la chasse des Tutsis de l'intérieur.

« Où est ton mari ? répéta le soldat à ma mère.

– Il est parti, mais il va revenir. Si vous voulez l'attendre, je peux vous faire à manger… »

Elle souriait, malgré sa peur, leur désignant de la main l'intérieur frais de la maison. C'était rare qu'elle le propose ; ce devait être grave. Le chef des militaires s'approcha, tenté. Il entra, jeta son sac dans un coin de la pièce et fit signe à ses hommes de le suivre. L'un d'entre eux resta dehors. Je vis ma mère s'affairer, et restai dans mon coin, sans bouger. En sortant chercher du bois, elle appela un enfant du voisinage et lui murmura quelque chose à l'oreille. De retour avec quelques bûches et, dans les mains, la poule qu'elle allait égorger pour nos hôtes, elle me sourit. Je compris que mon père n'avait plus rien à craindre. Encore une fois, il avait eu de la chance. Mon père s'était rendu chez sa sœur, qui devait marier sa fille la semaine suivante, pour l'aider à préparer la fête. En envoyant l'enfant le prévenir, ma mère lui donnait l'occasion de fuir. Pendant ce temps, elle terminait de préparer le repas pour les soldats, en y adjoignant une cruche de vin de banane.

Sitôt prévenu, mon père s'enfuit. Pour la troisième fois, il descendit jusqu'à la Rusizi et la traversa à la nage. Il n'avait eu le temps de dire au revoir à personne, seulement de sauver sa peau. Allions-nous devoir apprendre à vivre sans lui ? Quand ils eurent fini leur repas, légèrement enivrés, les soldats se levèrent. Comprirent-ils qu'ils avaient été bernés ? Étaient-ils las et n'avaient-ils envie que de rentrer à la caserne ? Quoi qu'il en soit, ils partirent sans faire d'histoires, jurant qu'ils reviendraient. Pendant plusieurs mois, papa allait rester au Congo. Il continua de faire des affaires par l'intermédiaire d'un de mes cousins, Thaddée Kayigi, qui achetait pour lui les vaches à Ruhango, qu'il récupérait sur les bords de la Rusizi pour les vendre ensuite sur les marchés du Bushi, au Congo. Régulièrement, il s'arrangeait pour faire porter de l'argent à ma mère.

Pendant les vacances de juillet-août, en saison sèche, je continuai de garder les vaches. Avec d'autres enfants, je les conduisais sur les berges de la rivière Rusizi, où l'herbe était encore tendre, et l'eau un peu plus salée que celle des ruisseaux. Au cours de ces randonnées, nous essayions d'apprendre à nager. Mes progrès restaient hésitants. Si j'arrivais à flotter, le courant de la rivière me faisait encore peur, et je me sentais incapable de la franchir. Mais, dans le fond, en avais-je besoin ? Patauger, m'amuser, et c'était bien assez... Un jour, en fin d'après-midi, je m'éveillai d'une sieste au bord de la rivière. Les bêtes paissaient tranquillement autour de nous. Nous allions bientôt partir : il n'y avait plus qu'à les rassembler et à nous ébranler. Mon regard flottant s'attarda sur la rive congolaise, à une cinquantaine de mètres de là. Soudain, je reçus comme un coup de fouet. Mon père se tenait là, debout sur la berge, et me fixait. Pendant plusieurs minutes, nous nous sommes regardés, impuissants, sans bouger ni faire un geste de la main. Il ne pouvait pas me rejoindre, et je ne savais pas assez bien nager pour traverser la rivière qui nous séparait. En le regardant, je sentis une boule m'étouffer. Mes deux poings se crispèrent de rage et d'amères larmes remplirent mes yeux. Je ne me rappelle pas combien de temps a duré ce moment de joie et d'angoisse. Puis mon père s'est retourné et a commencé à gravir la colline. Il rentrait au Congo, sa terre d'exil. Mes camarades bergers m'avaient laissé sur place, commençant à ramener nos bêtes. J'ai couru pour les rattraper. Tous les cent mètres, je me retournais pour voir mon père. Nos regards se sont à nouveau croisés, à deux reprises. Mais la distance entre nous s'est accrue, la lumière du jour a décliné. J'ai fini par ne plus le voir. Alors j'ai rejoint les autres, qui se sont moqués de mon retard et de ma paresse.

Je fis très vite le chemin du retour, tant j'étais pressé de rentrer à la maison et de raconter ce moment.

« Maman, maman, j'ai vu papa. »

Je criais, rameutant autour de moi mes frères et mes sœurs, et leur racontai notre rencontre. Ils me pressaient de questions, auxquelles je répondais en en rajoutant un peu pour leur faire plaisir. Oui, papa avait l'air en forme. Oui, il était toujours beau et élégant. Oui, il m'avait fait signe de leur dire bonjour à tous.

Je me mis à apprendre à nager avec rage. Je délaissai les jeux avec mes amis pour me plonger dans les flots glacés de la Rusizi et les fendre à grandes brasses. Un mois plus tard, je traversai seul la rivière, exploit dont personne ne comprit ce qui l'avait motivé : j'étais prêt. Tous les jours, je guettais la silhouette tant attendue. Mais plus jamais mon père ne revint sur la berge de la rivière.

## CHAPITRE 2

# Exils

*Prélude au troisième exil*

Il revint pourtant à la maison. Par hasard. Sur un marché du Congo, il reconnut des vaches dont il savait qu'elles avaient été volées non loin de chez nous. Il s'en prit au marchand. Ce dernier lui envoya deux hommes de main qui le rouèrent de coups. La police intervint. Mon père put faire valoir son droit, et les vaches furent rendues à leur propriétaire. Ce dernier se trouvait être le cousin du bourgmestre de notre commune, Pascal Bisekwa, dont j'ai déjà parlé. Il fit gracier mon père, devenu pour l'occasion « bon patriote », qui s'empressa de rentrer. Inutile de dire que ce fut un jour de liesse à la maison.

J'avais maintenant quinze ans. Je poursuivais mes études loin de chez moi, et, si je commençais à découvrir les filles, je restais un bon élève. Seule l'école privée et religieuse pouvait nous permettre d'avancer sans être pénalisés par le fait d'être Tutsi. Je restai deux ans au petit séminaire Saint-Aloys de Mibirizi, puis je rejoignis le petit séminaire de Nyundo, à deux cents kilomètres. C'était, à l'exception de nos exils congolais, mon premier séjour loin de chez moi, et j'avais le cœur gros en montant dans le bus qui devait m'y emmener.

Le petit séminaire de Nyundo comportait plusieurs bâtiments de briques rouges qui ouvraient sur de grandes cours dans lesquelles j'ai longuement déambulé, parfois triste. Dédié à saint Pie X, il est situé dans la région du Bugoyi, une vallée de roches volcaniques au bord de la rivière Sebeya surplombée par plusieurs collines. Sur le sommet de l'une d'elles trône la cathédrale de monseigneur Aloys Bigirumwami, le premier évêque rwandais, également premier évêque de l'Afrique belge, sacré en 1952. En 1994, des centaines de Tutsis seront massacrés dans cette cathédrale, tués par d'autres catholiques.

La ville de Gisenyi, station balnéaire au bord du lac Kivu, était toute proche. Mais nous n'y allions jamais : la vie d'internat est une vie de reclus, et nous dormions dans de grands dortoirs, mangions et travaillions au même endroit. Il y avait deux catégories d'élèves : les « grands », qui fréquentaient les classes de la quatrième à la sixième année, et les « petits », de la première à la troisième, dont je faisais partie. Les dortoirs et les salles de classe des « grands » et des « petits » étaient séparés. Je me fis heureusement vite un ami, Emmanuel Munyakazi, qui vint même passer des vacances à la maison. Emmanuel était plus turbulent que moi, et j'aimais à le suivre dans les facéties qu'il inventait régulièrement et que je n'aurais jamais osé faire tout seul. La région du Bugoyi était presque exclusivement habitée par des Hutus. Je m'en rendais compte à chaque fois que nous sortions de l'enclos du séminaire. Certaines personnes nous insultaient quand elles nous voyaient passer. Les regards pesaient sur nous, cherchant à démasquer les traces de notre « tutsitude ». Car les gens avaient appris par les slogans du Parmehutu à scruter les faciès. À la silhouette, on classait un individu comme Tutsi ou Hutu. L'État avait exigé le port d'une carte d'identité avec mention ethnique dès l'âge de seize ans pour mettre en œuvre sa politique de ségrégation[1]. Cette carte d'identité, qui avait suscité tout un trafic de faux papiers, ne sauva évidemment personne en 1994. Je ne m'étais pas encore habitué à cette intolérance (mais s'y habitue-t-on jamais ?) quand les troubles de février 1973 ont éclaté.

Après l'arrêt définitif des attaques des exilés rwandais, en 1967, le pouvoir du président Grégoire Kayibanda était à bout de souffle. Le parti Parmehutu était rongé par des dissensions internes. Ses chefs se divisèrent en groupes régionaux, du Centre, du Sud et du Nord. Pour tenter de rassembler ses partisans, Kayibanda a joué la carte du bouc émissaire tutsi, comme s'il suffisait de nous mettre en avant pour tout régler. Même l'Église, qui avait fourni un soutien indéfectible à Kayibanda, finit par s'enfoncer dans les divisions ethniques qu'elle avait alimentées.

En avril-mai 1972, des milliers de Hutus furent tués au Burundi voisin. Ce massacre injustifiable donna à Kayibanda un prétexte idéal pour relancer le harcèlement des Tutsis. Dès l'automne 1972, des « comités du Salut public » virent le jour un peu partout dans le pays. Ils étaient chargés de dresser les listes des Tutsis dans les écoles et les lieux de travail, et de les en chasser. La « révolte » atteignit plusieurs écoles secondaires dès la rentrée scolaire de 1972. Les troubles qui éclatèrent à l'université nationale du Rwanda, à Butare, le 15 février 1973, embrasèrent tout le pays.

Le dimanche 26 février, à Nyundo, nous étions dans la salle d'études quand le doyen de l'internat, Symphorien Kamanzi, entra en criant : « Suivez-moi vite. Laissez vos affaires. Il faut aller chez l'évêque. » Nous nous précipitâmes. Dans la salle, il n'y avait presque que des Tutsis. Les élèves hutus, en début d'après-midi, avaient obligé le chef des jardiniers à leur donner les coupe-coupe et tous les instruments susceptibles de servir d'armes pour aller « nettoyer » les Tutsis. Mon frère Charles et mon cousin Bernardin se trouvaient avec moi. Soudain, les Hutus arrivèrent à la porte de la salle, leurs armes à la main. Mais, par chance, ils étaient encore jeunes, hésitants. Certains avaient prévenu l'armée, dont ils attendaient du renfort. Je croisai le regard de deux d'entre eux, qui avaient été des compagnons d'études. Et je reconnus mon ami Emmanuel Munyakazi, sur l'ethnie duquel je ne m'étais jamais posé de questions. Je m'approchai de lui pour comprendre ce qui se passait. D'un geste violent, il me repoussa.

Le doyen nous pressait de quitter la salle. Dehors, notre groupe fut scindé en deux. Les petits, dont on croyait encore qu'ils couraient moins de danger, furent dirigés vers le grand séminaire, tout proche, et les grands furent évacués par camions dès le lendemain matin. Toute la nuit, les Hutus avaient patrouillé, armes à la main. Ils avaient même attaqué le grand séminaire, aidés par des jeunes que nous ne connaissions pas. Des pierres volaient, s'écrasant contre les volets et les fenêtres, brisant de nombreux carreaux. Beaucoup de petits pleuraient, terrorisés. Les prêtres et les grands séminaristes ne savaient que faire. Ils nous ont déplacés et cachés dans les bâtiments labyrinthiques de l'économat diocésain. Au petit matin, les attaques s'étaient calmées. Mais il suffisait de jeter un coup d'œil par la fenêtre pour apercevoir les troupes de Hutus qui nous attendaient, tels des vautours guettant leur proie.

Soudain, un bruit de moteur se fit entendre. « Venez ! » nous dirent les prêtres. Un camion s'était garé devant la porte de derrière. Rapidement, nous

nous y entassâmes, une trentaine d'enfants effrayés, sales, affamés. Il démarra. Par l'arrière, nous vîmes le séminaire s'éloigner, tandis que nous étions brinquebalés les uns contre les autres par les cahots de la piste.

## Marche forcée

Le prêtre, assis à côté du chauffeur, tenta de nous rassurer. Nous allions passer par Gisenyi et Kibuye pour déposer les élèves chez eux. La solution ne me rassura qu'à moitié : j'étais parmi ceux qui habitaient le plus loin, et il faudrait que presque tout le monde soit sauvé pour que je puisse retrouver mes parents – si tant était qu'il ne leur fût rien arrivé. Les premiers kilomètres se passèrent sans histoire. Pas de groupes hostiles sur la route, pas de barrages routiers : le camion roulait vite. Mais soudain il freina, et j'entendis le chauffeur jurer. Devant nous, la rivière qui se jetait un peu plus loin dans le lac Kivu coulait à flots. Le pont qui l'enjambait avait été détruit. Nous ne pouvions plus passer.

Il nous fallut descendre et regarder le camion repartir. Nous n'avions plus qu'une solution : faire le chemin à pied. Pour plusieurs d'entre nous, dont moi, cela voulait dire une centaine de kilomètres. « Ne vous en faites pas, nous rassurait le prêtre, il y a une église à Kibuye, et nous allons y demander l'hospitalité. » Nous arrivâmes à la cure. Le prêtre alla sonner. Son confrère, un abbé belge, Schmidt, constata avec effroi combien nous étions nombreux. Il tergiversa, inventa mille prétextes et nous conseilla d'aller jusqu'à Mubuga, en pleine campagne, où nous serions en sûreté. « Vous comprenez, ici, nous sommes en ville, et s'ils viennent je ne saurais pas vous défendre. » Il sautillait, très gêné mais ne cédant en rien. Nous ne pouvions pas rester, un point c'était tout.

Mubuga était à une quinzaine de kilomètres de là. Nous marchâmes vite, en pressant les plus lents. Nos guides essayaient de nous faire comprendre l'urgence de la situation sans nous effrayer, équilibre délicat. Quand nous arrivâmes, la nuit tombait. L'abbé Jean Bizimana, qui s'occupait de l'église, fut heureusement plus ouvert que son collègue. Nous mourions de faim. Il fit ce qu'il put, mais n'avait pas de quoi nourrir une trentaine d'adolescents. Son cuisinier prépara tout le riz qu'il avait en stock, mais ne put nous offrir qu'une bien maigre bouchée chacun.

« Vous devriez attendre le retour du curé de la paroisse, conseillait-il, avec des sourires désolés par son impuissance. Il vous emmènera dans sa camionnette.

– Il sera là quand ?

– Ça, je ne sais pas. Il lui arrive de partir pour plusieurs jours. »

Attendre ? Nous ne le pouvions guère, le ventre vide et sans savoir exactement si nous étions poursuivis ou non. Nous allâmes visiter notre nouveau refuge. Le bâtiment ressemblait à notre séminaire, en plus petit, en plus chaleureux aussi. Il y avait un jardin avec quelques arbres fruitiers. Nous nous y glissâmes et engloutîmes tous les fruits mûrs que nous trouvâmes. Puis le père Jean nous installa dans un grand dortoir, d'où certains, qui avaient un peu d'argent de poche, s'échappèrent vite pour aller acheter du pain et des beignets dans les commerces de Mubuga. Je n'avais pas d'argent. Je suis donc resté dans le dortoir, seul et désœuvré. Je trouvai un livre de lecture, l'ouvris et tentai de m'y plonger pour oublier notre situation.

Soudain, j'entendis un bruit de moteur dans la cour, derrière le dortoir. Je me levai précipitamment et regardai par la fenêtre : ils étaient là. Deux camionnettes venaient de s'arrêter, et une trentaine de jeunes en descendaient en se poussant. Plusieurs portaient des armes : des massues, du fer à béton et même des épées. Ils criaient, demandaient où était l'école des filles, qu'ils avaient visiblement l'intention de razzier. C'étaient des élèves du collège du Christ-Roi et de l'école des Humanités modernes de Nyanza, qui avaient réquisitionné de force les camionnettes des commerçants pour aller « casser du Tutsi » dans toute la région. Lâchement, certains agents de la paroisse leur montrèrent la direction de l'école des filles. J'en profitais pour me ruer hors du dortoir et chercher une cachette plus sûre. Mais où ? Ils étaient partout, se répandaient dans tous les couloirs, dans toutes les salles. J'ouvris quelques portes, mais ne trouvai que des salles vides. Dans le réfectoire des prêtres, j'avisai une armoire, avec un espace assez large entre elle et le mur pour m'y glisser. Je le fis, tremblant.

À ce moment, j'entendis du bruit dans le couloir. Les apprentis tueurs rentraient furieux de l'école des filles, qu'ils avaient trouvée vide, la directrice ayant pris soin de les évacuer. Eux aussi ouvraient en criant les portes les unes après les autres. Je les entendais qui se rapprochaient, priant pour qu'ils n'entrent pas dans la pièce où je me terrais. Espoir vain : j'entendis la porte claquer violemment, ouverte d'un coup de pied.

Au séminaire, nous plaisantions beaucoup sur la gourmandise de certains prêtres qui transformaient chaque repas en festin. Dus-je la vie à cette goinfrerie ? L'armoire derrière laquelle je me cachais contenait les réserves de pain et surtout le stock de boissons des prêtres.

« Les gars, vous avez vu ? »

Les tueurs étaient à deux pas de moi. Je sentais leur odeur, j'entendais leurs voix, je voyais leurs armes. Comment ne m'ont-ils pas trouvé ? Ils ont vidé l'armoire et se sont attablés. Une sueur aigre coulait sur mon visage, que je ne pouvais essuyer de peur de me faire repérer. Dans ma poche, ma main saisit le chapelet qu'en bon séminariste je portais toujours sur moi. Je commençai à réciter des « Je vous salue, Marie ». Je dis le premier en entier, le deuxième à moitié, puis ne fis que répéter les seuls mots « Je vous salue, Marie pleine de grâce », machinalement.

Les élèves ne restèrent que quelques minutes dans le réfectoire, mais cela me parut durer une éternité. Très vite, les prêtres arrivèrent et les mirent dehors. Je les entendis alors se plaindre du pillage de leur stock, du « gâchis » fait par ces « voyous ». Je pris mon courage à deux mains et sortis de ma cachette. Le vieil abbé Jean Bizimana se mit alors dans une grosse colère, me demandant en criant pourquoi nous étions allés « nous exposer » en ville, attirant sur nous les hordes de chasseurs. Je crois en fait qu'ils étaient vraiment venus pour s'en prendre aux filles, et qu'ils ignoraient tout de notre présence. C'est pour cela que la situation, aussi tendue fût-elle, n'avait pas dégénéré. Nous prîmes quand même quelques heures de sommeil, puis repartîmes, toujours à pied. Les chaussures de certains avaient été trop abîmées, et ils durent les abandonner pour continuer pieds nus. Nous voulions atteindre Cyangugu, distant de quatre-vingts kilomètres. Mais la situation s'était durcie depuis la veille. La nouvelle de la chasse aux Tutsis avait fait le tour de la région, et des groupes de jeunes nous attendaient sur le bord de la route.

Le premier nous bloqua non loin de Mubuga, constitué d'une quinzaine de jeunes équipés de machettes et d'instruments aratoires. Nous ne pouvions pas reculer. L'abbé s'avança :

« Qui êtes-vous ? Où allez-vous ? »

Le garçon qui s'adressait à nous avait à peine une vingtaine d'années. Armé d'une machette, il semblait déterminé à ne pas nous laisser passer. Mais l'habit du prêtre le fit hésiter : « Nous ramenions ces enfants chez eux quand notre bus est tombé en panne. Il est resté à Mubuga, et nous continuons à pied. Mais si vous avez des talents de mécanicien, n'hésitez pas... » Le garçon n'osa pas nous arrêter, ni pousser le contrôle plus avant. Il nous laissa passer.

Il nous fallut alors nous concerter pour prévenir ce nouveau danger : des groupes comme celui-ci, nous allions en rencontrer d'autres sur la route. Nous mîmes au point le scénario suivant. Quand nous verrions un groupe hostile, le plus grand d'entre nous, Ubald Rugwizangoga (aujourd'hui prêtre), marcherait vers lui. Pendant ce temps, nous devions nous rapprocher les uns des autres pour former une masse la plus compacte possible, puis, faisant semblant d'obtempérer et de l'écouter, nous mettre soudain à courir, prenant ainsi le groupe par surprise. Nous utilisions sans le savoir la tactique des impalas pourchassées par des lions. Nos poursuivants n'avaient heureusement pas d'armes à feu, et leur hargne n'était pas organisée comme elle le serait en 1994. Si l'un d'entre nous était attrapé, nous devions continuer à courir et l'abandonner entre les mains des agresseurs. Cela n'arriva qu'une fois : nous apprîmes plus tard que le malheureux s'en était tiré et qu'il avait trouvé asile dans une maison proche.

Plusieurs fois, ces alertes furent sérieuses. À Kibogora, nos poursuivants nous suivirent sur près de trois kilomètres avant d'abandonner. J'avais les poumons en feu et les jambes me faisaient mal. Seule une énergie inexplicable nous poussait à ne pas nous arrêter. Quand nous stoppâmes, épuisés, plusieurs enfants s'écroulèrent, refusant de continuer, et il fallut tout le talent de persuasion de nos guides pour les convaincre de poursuivre. Le dernier groupe de jeunes qui nous barra la route fut le plus coriace. Nous étions entre Nyamasheke et la rivière Mwaga, à la sortie d'un tout petit village – heureusement moins nombreux, puisqu'un certain nombre d'entre nous étaient déjà arrivés à bon port. « D'où venez-vous ? » Ubald ressortit notre excuse : nous partions en vacances et notre bus venait d'avoir une panne à Nyamasheke. Mais cette fois cela ne prit pas. L'un des garçons nous demanda d'attendre. Il s'avança vers le bar, une cahute où une dizaine de clients sirotaient du vin de banane et des bières, et tenta de les alerter. D'un bond, nous nous enfuîmes. Le garçon se mit à crier. Derrière nous, nous entendîmes le martèlement des pieds de toute une bande en bien meilleure forme physique que nous. Mais nous connaissions bien la route. Nous prîmes un chemin parallèle et les semâmes. Pour le reste du parcours, nous éviterions la route principale.

La nuit tomba, mais il n'était pas question de dormir. Au contraire, nous profitâmes de l'obscurité pour gagner encore quelques kilomètres d'avance. Nous étions entrés dans un bois d'eucalyptus, dont les racines affleuraient, obstacles naturels sur lesquels nous butions. Les plus petits supplièrent que l'on s'arrêtât, mais Ubald insista pour que nous sortions du bois avant de nous reposer. « Je ne sais pas combien seront capables de repartir », me dit-il en aparté. Enfin, nous quittâmes les lieux. Il regarda sa troupe : il n'était plus possible de continuer. Nous trouvâmes un gros buisson, à quelque vingt mètres de la piste. Un groupe s'endormit. Je fus du premier tour de garde. Une pluie fine se mit à tomber ; nous grelottions. Je peinais à garder les yeux ouverts, essayant de percevoir les bruits menaçants dans le noir de la nuit. Soudain, j'entendis un brouhaha. Des gens arrivaient par la piste que nous venions de quitter : nos agresseurs. Je me recroquevillai à nouveau, bénissant le ciel qu'aucun de nous ne ronflât. La pluie et l'obscurité nous sauvèrent. Le groupe passa sans nous voir et continua sa route. Je terminai mon tour de garde, réveillai avec difficulté mon remplaçant et dormis quelques heures. Le lendemain matin, nous repartîmes, et, après trois jours de marche ininterrompue, nous retrouvâmes nos familles.

## *Retour*

Je me jetai dans les bras de mes parents. À la fois ravis et inquiets, ils m'interrogèrent longuement sur mon incroyable épopée, se félicitant qu'elle se soit aussi bien terminée.

« Et Charles, demandai-je en cherchant mon frère. Il n'est pas là ?

– Il est déjà parti. Il serait plus prudent que tu ailles très vite le rejoindre...

– Parti où ?

– Au Zaïre. Il n'y a que là que vous serez vraiment en sûreté... »

Je protestai. Retourner en exil ? Sans eux ? Me retrouver là-bas, tout seul ? Et puis j'étais épuisé, il fallait que je récupère. De toute façon, maintenant que nous avions été chassés de l'école, l'objectif de nos agresseurs était atteint. Ils allaient nous laisser en paix. Mes parents approuvèrent ce dernier argument. Ils étaient d'ailleurs convaincus que seuls les étudiants et les fonctionnaires de l'État étaient visés. Double erreur.

Mon cousin Bernardin, qui n'était pas parti au Zaïre avec mon frère Charles, vint à la maison. Je l'embrassai. Ensemble, nous passâmes de longues heures à élaborer des plans d'avenir, tout en nous apercevant à chaque fois combien ils étaient incertains. Nous étions au début du mois de mars 1973, et la tension montait de façon perceptible dans notre région.

Le 8 mars, nous fûmes à nouveau réveillés par des cris et des coups frappés à la porte.

« Ouvrez, sales cafards ! Ouvrez, ou nous enfonçons la porte ! »

C'étaient cette fois des jeunes de la colline Cyete, à cinq kilomètres de chez moi. Ils étaient armés de gourdins et de bâtons.

« C'est l'autorité communale qui nous envoie. Nous savons que vous cachez des armes. Il faut nous laisser entrer pour perquisitionner. »

Mon père se mit debout devant la porte fermée, en prenant soin de frotter sa machette au métal de la porte pour bien faire comprendre aux agresseurs qu'il était armé et prêt à tout. Il posait des questions, essayant de repérer les gens qui étaient là et de déterminer leur nombre.

« Si tu n'ouvres pas, nous allons brûler ton repaire de serpents. »

Alors, brusquement, il ouvrit la porte. Surpris, les agresseurs reculèrent. Il se jeta sur le côté, s'élança vers la bananeraie et, couvert par la nuit, commença à courir. Quelques Hutus essayèrent de le suivre. On les entendit fouiller les arbres en criant. Ma mère avait pris mon petit frère par la main. Ils finirent par revenir.

Nous nous étions entre-temps cachés sous les lits. Égide, mon grand frère, âgé de vingt-trois ans, profita de la confusion pour sortir à son tour de la maison et courir se réfugier dans la bananeraie. Les jeunes devinrent furieux. Ils entrèrent et se mirent à tout renverser. Ils ne trouvèrent qu'un peu de riz et de vin de banane, ce qui redoubla leur colère. Quand ma mère s'approcha d'eux, elle prit un coup de massue sur la tête, et je vis son visage se couvrir de sang. Elle portait sur son dos mon dernier petit frère, Étienne Ndahayo, qui n'avait que quelques mois.

« Sors, crièrent-ils à ma mère. Sors, sale cloporte, et regarde ta maison qui va brûler. »

Ma mère nous fit sortir. La tension était perceptible, et j'eus très peur que l'un d'entre eux ne l'achève ou ne me donne un coup de machette. Derrière nous, le soleil commençait à se lever, éclairant toute la scène d'une lueur pâle.

À ce moment, miraculeusement, arriva l'un de nos voisins. C'était un membre local influent du Parmehutu, et il dispersa les jeunes, qui promirent de revenir. Avait-il suivi toute la scène et pensait-il que nous avions reçu une bonne leçon ? Voulait-il au contraire nous protéger, allant à l'encontre des consignes de son parti ? Je l'ignore. Mais il fit asseoir ma mère et lui offrit un linge et de l'eau pour qu'elle essuie sa plaie. Son pagne était couvert de sang, comme les habits de mon frère Étienne, toujours sur son dos.

Mon père et mon frère sortirent alors de leur cachette. Je tenais la main de ma mère.

« Papa, il faut l'amener au centre de santé. Je vais le faire, si tu veux.

– Non, répondit ma mère. Toi, tu t'en vas. »

Je ne l'avais jamais vue aussi déterminée.

« Mais pourquoi ? Je ne vais pas vous laisser comme ça. Regarde, tu as besoin de moi. Moi, je suis trop jeune, ils n'oseront pas me faire de mal. Mais toi... »

Mon père prit la parole :

« Eugène, ta mère a raison. Tout est devenu trop dangereux. Tu ne peux pas rester ici. Il faut que tu rejoignes ton frère au Zaïre. Et tout de suite...

– Mais vous ? Vous n'allez pas rester ? Si c'est dangereux, ça l'est pour tout le monde, encore plus pour vous... »

Il m'entraîna un peu plus loin pour m'expliquer que j'avais la vie devant moi, et pas lui, qu'il avait déjà souvent battu en retraite, qu'il avait beaucoup fui, et qu'il en avait assez. Sa course dans la bananeraie serait la dernière de sa vie. Désormais, il affronterait ce qui arriverait, et tant pis ! C'était sa terre, c'était son pays, c'était aussi son destin. En revanche, il ne m'abandonnerait pas. Je devais, moi, survivre à tout prix. Égide nous rejoignit. Il posa sa main sur mon épaule. Je compris que j'allais partir avec lui.

Cela ne tarda pas. Des cousins, alertés par mon père, arrivèrent pour amener ma mère au centre de santé. Égide et moi rassemblâmes quelques affaires. N'ayant pas fait d'études secondaires, il se croyait moins menacé par les troubles que moi, mais il tenait à m'accompagner au Burundi, où il avait vécu naguère, et rentrer au Rwanda – plan qu'il allait d'ailleurs suivre à la lettre. Bernardin, mon cousin, vint nous rejoindre, mon plus proche ami pendant les douze ans que durerait notre exil.

Nous ne pouvions pas, comme la dernière fois, traverser la rivière Rusizi en piquant tout droit de la maison : on aurait trop facilement pu nous voir. Nous avons préféré nous diriger en aval, à plus de dix kilomètres, à un endroit où les piroguiers ne nous connaissaient pas. Nous avons encore dû mentir et inventer une histoire, racontant cette fois que nous étions à la poursuite de gens qui nous avaient volé des vaches. Mais les piroguiers étaient méfiants :

« Qu'est-ce qui nous prouve que vous n'êtes pas des Tutsis en fuite ? »

Je jurai de mon innocence, sans les convaincre. L'un d'entre eux suggéra de nous remettre aux autorités locales, qui trancheraient sur notre sort. Égide eut alors une idée de génie :

« Et si c'était nous qui allions chercher les autorités locales ? Vous m'avez l'air trop déterminés pour n'être pas suspects d'avoir aidé nos voleurs à fuir. Sans ça, vous n'inventeriez pas de pareilles fadaises pour nous empêcher de passer. » Je renchéris : « De toute façon, nous passerons. Et si ce n'est pas avec vous, ce sera sans vous. »

J'ai enlevé mes habits, je les ai attachés sur ma tête et j'ai traversé la rivière Rusizi à la nage. Les piroguiers furent pris de court. Ayant soudain peur de perdre le prix d'une traversée et ignorant que Bernardin ne savait pas nager, ils les prirent, lui et Égide, pour les faire passer. Le plus dur était fait. Nous étions loin du Rwanda. Mais je frémissais en pensant à ceux qui y étaient restés, et au risque que couraient mes parents.

Une fois au Zaïre, il nous fallut regagner Bukavu, toujours à pied. Là, nous allâmes au Haut Commissariat pour les réfugiés (HCR), qui nous remit à chacun de quoi nous offrir un titre de transport jusqu'à Bujumbura. Le 13 mars, nous quittions Bukavu à bord d'un camion chargé de caisses de bière Primus jusqu'à Uvira, une ville portuaire zaïroise située en face de Bujumbura. Un autre camion nous conduisit jusqu'à la capitale du Burundi. Là, dans les fumées des pots d'échappement et les odeurs de marché de la gare routière, je compris qu'une nouvelle vie commençait pour moi.

## Au Burundi

Les trois années suivantes passèrent très vite. J'étais tiraillé entre le besoin de me reconstruire, le sentiment de sécurité que j'éprouvais au Burundi et le déchirement d'être séparé des miens. Par chance, je n'avais pas eu à passer par un camp. Les réseaux de l'Église fonctionnaient bien, et les séminaristes réfugiés du Rwanda furent tous admis au petit séminaire de Kanyosha, à cinq kilomètres du centre de Bujumbura. L'abbé Pierre Nkanira, le recteur de ce séminaire, nous prit en charge. Commencèrent alors pour moi des années d'études où je vivais pour réussir à l'école, puis, un jour, rentrer au pays. Nous cohabitions avec des élèves burundais, encore sous le choc des événements sanglants que leur pays venait de traverser[2]. Quand ils nous en parlaient, nous nous estimions plutôt heureux de notre situation.

Bujumbura fut la première grande ville dans laquelle je vécus. J'y ai découvert la plage, où j'allais avec mes amis rwandais. Je me souviens surtout de deux choses : l'impression que les gens n'y travaillaient pas suffisamment, et la langue chantante, qui me plaisait beaucoup. La vie quotidienne était austère. Nous étions nourris et blanchis par le séminaire, mais n'avions pas d'argent. J'avais deux costumes ; j'en lavais un quand je portais l'autre. Nous étions répartis par dortoirs et n'avions le droit de sortir que durant la journée. Nous maraudions beaucoup, volant des fruits dans les jardins, des mangues surtout.

Comme nous avions accumulé beaucoup de retard par rapport aux autres élèves, le séminaire nous a donné quelques cours de rattrapage. C'est là que je me fis mon premier ami burundais, un élève de ma classe du nom de Diomède Buzingo. Il était serviable, attentif, m'aidait quand je prenais du retard, savait me poser des questions sur mes malheurs sans devenir insistant. Pendant les vacances de Pâques, il m'invita chez lui. Je me mis à fréquenter régulièrement sa famille. Son père, en particulier, se montra très protecteur. Je ne sais s'ils ont senti ce qu'ils représentaient pour moi, à ce moment précis de mon histoire. Je ne pourrai malheureusement jamais le leur dire : le père de Diomède a été tué avec sa femme et plusieurs de ses enfants au cours des massacres qui ont endeuillé le Burundi en 1993, un an avant le génocide des Tutsis du Rwanda.

L'année suivante, nous sommes entrés au séminaire moyen de Burasira, que j'ai terminé en 1977. Il fallait que je décide dans quelle voie m'engager. La plus évidente était celle de la prêtrise, et c'est le chemin qu'allait suivre mon ami Ubald : « Tu devrais faire comme moi, Eugène. Dieu a veillé sur nous, et il n'est que justice de lui rendre hommage. »

Ce n'était pas pour moi. Je n'étais pas bien sûr que Dieu, même si j'ai toujours cru et continue à croire, ait mérité à ce point ma reconnaissance. Les prêtres qui nous avaient recueillis ne se faisaient d'ailleurs que peu d'illusions sur nos vocations.

Je discutai souvent avec Bernardin de notre avenir. « Moi, j'irais bien à la fac. » J'étais de son avis, d'autant plus que les organisations humanitaires internationales donnaient volontiers des bourses aux réfugiés, et que le Burundi – grâce en soit rendue au régime du président Bagaza – ouvrait les portes de son université aux étudiants étrangers, même à ceux qui, comme nous, étaient des parias dans leur pays natal. Mon cousin et moi fîmes ainsi notre entrée sur le campus de Bujumbura.

Notre vie s'y organisa sans que je sois très dépaysé. Pas de melting-pot sur les campus burundais : Burundais, Congolais et Rwandais ne se mêlaient pas. J'étais logé dans une maison collective, d'où je prenais le bus tous les matins pour rejoindre la fac, et je retrouvais mes condisciples rwandais dans l'Association des étudiants rwandais du Burundi (AERB) : les boursiers y cotisaient pour aider ceux qui n'avaient pas de ressources. Là, devant des bières, l'inquiétude chevillée au corps, nous échangions les dernières nouvelles et tentions, le plus souvent sans succès, de savoir ce qu'il était advenu de nos familles. Nous pensions aussi à tous ceux qui nous avaient contraints à cet exil et qui vivaient encore au pays, impunis. Je revoyais la massue s'abattant sur la tête de ma mère, j'entendais les chants sauvages de ceux qui avaient été nos voisins et nous avaient condamnés à mort. Chacun d'entre nous avait des histoires horribles à raconter, et nous les partagions, entretenant un noir désir de vengeance. Dois-je préciser que tout cela nous préoccupait beaucoup plus que nos études ?

## *Une revanche impuissante*

Le meilleur moyen de savoir comment allaient les nôtres était encore de rentrer à la maison. Nombre d'entre nous le faisaient. Dès l'entrée au séminaire, l'envie m'en avait pris. J'avais pourtant longtemps hésité, me demandant si mon père, qui avait tant insisté pour que je sois à l'abri, approuverait ma démarche. Mais la solitude et l'éloignement étaient trop durs. Pendant les vacances surtout. Alors que les élèves burundais rentraient chez eux, nous restions, nous, les exilés, seuls dans le séminaire vide. Même si nous étions une vingtaine dans ce cas, même si le frère économe nous confiait un travail manuel rémunéré (peinture, jardinage...) qui nous permettait de nous acheter ensuite du matériel scolaire, les heures étaient très longues. Ensemble, nous ne faisions qu'aiguiser notre nostalgie. Le soir, nous nous réunissions pour chanter les chants composés pour la messe par l'abbé Dominique Ngirabanyiginya au séminaire de Nyundo. Ces textes pieux et insipides, qui nous fatiguaient quand il fallait les apprendre là-bas, nous apparaissaient alors comme d'insurpassables chefs-d'œuvre.

Je décidai de tenter mon premier retour en 1975, deux ans après ma fuite.

Pour plus de sûreté, je devais passer par le Zaïre, pays où il était assez facile de se procurer des papiers d'identité. Je réussis à obtenir une fausse carte zaïroise. À la frontière entre le Burundi et le Zaïre, je montrai ma carte de réfugié, puis aux postes frontières avec le Rwanda je sortis ma carte d'identité. Une fois au Rwanda, je n'ai jamais eu de problème avec les autorités locales : elles devaient supposer que je voyageais avec un laissez-passer rwandais fourni par l'ambassade du Rwanda au Burundi.

Comment décrire mon émotion quand j'arrivai à la maison et vis mes parents, que je n'avais pas prévenus de ma visite, vaquer à leurs tâches quotidiennes ? Je tombai dans leurs bras, et nous nous racontâmes nos vies pendant des heures. Égide, le grand frère avec qui je m'étais enfui, était là, lui aussi, et je lui rappelai la façon dont il m'avait sans doute sauvé la vie ce jour-là.

Très vite, je m'étonnai de l'apparente réconciliation entre mes parents et nos bourreaux d'hier. Ils vivaient comme si rien n'avait changé, comme si rien ne s'était passé, et je les voyais saluer poliment les hommes qui nous avaient attaqués. Cette complaisance me parut insupportable. C'était la saison de la fabrication du vin de banane. Ce matin-là, ils étaient nombreux à attendre dans notre enclos que le vin à vendre fût embarqué par les marchands, et le reste, partagé entre eux, voisins et amis. Quand je vis Égide tendre un bol de vin à un nommé Sindambiwe, l'un de ceux qui, en 1964, venait régulièrement chez nous avec ses amis du Parmehutu, mon sang ne fit qu'un tour. Je bondis et, d'un coup de poing, fit sauter le bol des mains de Sindambiwe.

« Depuis quand ce salaud est-il un intime de la famille ? ai-je hurlé à mon frère. As-tu oublié ce qu'il nous a fait ? Tu penses que c'est un ami, maintenant ? »

Un silence de plomb s'est abattu sur la scène. J'étais là, seul, furibond, les poings serrés, face à la foule muette. Sindambiwe a reculé, lentement, avec un petit sourire gêné, et s'est éclipsé. Je me suis soudain senti très seul avec ma colère, le bol de vin renversé à mes pieds, et j'ai cherché le regard de mon père. Mais il a détourné le visage. Le brouhaha a soudain repris et l'ambiance s'est détendue. Mais les gens présents ont beaucoup commenté mon geste. Mes cousins, qui avaient en gros mon âge, me donnaient raison, alors que mes oncles, plus âgés, refusaient de prendre parti. Je n'attendais qu'une chose : l'approbation de mon père. Toute la journée, il refusa obstinément de croiser mon regard.

Le dîner se déroula dans une ambiance tendue. Une fois les voisins repartis et la distribution de vin de banane achevée, mon père parla :

« Eugène ?

– Oui, papa ?

– Pourquoi as-tu eu cette réaction primitive ? »

Sa condamnation était encore plus nette que je ne le craignais. Je tentai alors de me justifier, racontant ce que je savais de Sindambiwe, de sa conduite en 1964. Mon père me regardait, sans paraître le moins du monde impressionné.

« Je n'étais qu'un enfant et je devais supporter tout ça. Et pendant ce temps, que faisais-tu, toi ? Tu étais bien tranquillement au Congo, à te protéger... »

Je regrette encore aujourd'hui d'avoir prononcé cette phrase. Là, il tiqua. Mais il se reprit vite :

« Et toi, aujourd'hui, vis-tu ici ? Non, pas plus que moi à l'époque. Pourquoi ? »

Je ne sus que répondre. Il continua :

« Depuis 1964, notre situation n'a pas changé. Nous sommes toujours harcelés, par de nouveaux Sindambiwe. Nous ne pouvons pas vivre avec nos enfants, ni avec toi, ni avec ton frère Charles. Et quelles armes avons-nous pour nous défendre ? Aucune. Tu vois, Eugène, ces gens-là nous ont tout pris. Mais il nous reste une chose : le pouvoir et le devoir de donner ce que nous avons aux plus pauvres que nous. Ce Sindambiwe n'a jamais compté nulle part, ni dans la vie de notre communauté, ni dans le Parmehutu. C'est un militant ignorant qui n'a jamais eu aucune décision à prendre, sinon celle de refuser de faire partie du groupe qui venait vous harceler. C'est vrai qu'il n'a pas eu cette grandeur d'âme. Mais aujourd'hui, toi, la victime, voudrais-tu être à sa place ? Il vit actuellement dans la misère, trouve difficilement de quoi nourrir sa famille, et ses enfants travaillent dans nos champs pour avoir de quoi s'habiller. Devons-nous le rejeter maintenant qu'il a besoin de nous parce qu'il a jadis appartenu à un groupe de brutes manipulé par le pouvoir ? »

J'écoutais. Mon père a clos le débat avec l'autorité qu'il savait montrer quand il le fallait : « Tu as vingt ans, et tu as le droit d'être en colère. Mais tu dois aussi apprendre à maîtriser cette colère, et essayer de comprendre les autres. Et n'oublie jamais qu'aujourd'hui tu es en sécurité. Pas nous ! »

Je ne crois pas que ce discours m'ait alors convaincu. Je n'avais pas suivi le cheminement de mon père. J'étais parti du Rwanda dans un état de grande tension, avec le sentiment de n'avoir nulle part où me cacher. J'avais trouvé au Burundi sécurité et hospitalité. Et, ici, je revoyais ceux qui m'avaient contraint à fuir trinquer sereinement avec mes parents... Je ne pouvais alors partager la position de mon père. Mais elle a sans doute été le point de départ d'une réflexion qu'aujourd'hui encore je sais ne pas avoir menée à bout.


## Une nostalgie coupable

Étais-je devenu imprudent ? Voulais-je inconsciemment croire que ces heures noires étaient derrière nous ? Ou la facilité avec laquelle je franchissais les frontières m'avait-elle fait perdre tout sens du danger ? À l'âge que j'avais, sans doute minimise-t-on les risques. Et puis quel mal pouvait-il y avoir à vouloir rentrer chez soi ?

En 1979, je me rendis à nouveau à la maison par le Zaïre pour les vacances. Le truc de la carte d'identité fonctionnait encore parfaitement, mais il aurait été plus sûr que j'aie des papiers définitifs m'autorisant à revenir au Rwanda. En arrivant, j'appris qu'un camarade de l'école primaire, Jean-Pierre Mujyabwami, avait été nommé comptable de notre commune après ses études secondaires au Congo. Je lui rendis visite. Nous évoquâmes bien sûr les temps de l'exil, et il m'assura qu'il pouvait intervenir auprès du bourgmestre pour m'obtenir une carte d'identité qui me permettrait de circuler dans le pays sans problème. Le bourgmestre était toujours Pascal Bisekwa mais j'étais convaincu que l'amitié du comptable communal me protégerait. Jean-Pierre avait entre-temps donné des instructions au secrétaire communal, un certain Mukamarutoke, et ma carte d'identité était prête, n'attendant plus que d'être signée. Il proposa même de m'accompagner.

« Je viens faire signer la carte d'identité de mon ami par le bourgmestre. Vous connaissez Eugène, monsieur le secrétaire ? »

Le secrétaire me serra la main avec une certaine réserve :

« Ne devriez-vous pas plutôt aller en parler au bourgmestre ? Le cas de monsieur Eugène est un peu spécial, et... »

Le secrétaire était plus que circonspect, et j'aurais sans doute dû me méfier. Mais Jean-Pierre me redonna confiance.

« Attends ! Il y en a pour une minute. »

Avec un clin d'œil complice, il prit le dossier et entra chez le bourgmestre. Quelques minutes plus tard, il en sortit, le visage défait. Le bourgmestre se tenait derrière lui et hurlait mon nom et celui de mon père. Je m'approchai. D'un trousseau de clés qu'il avait à la main, il me frappa au front en criant : « Toi, fils de Nkeza, comment oses-tu venir me demander une carte d'identité, à moi, Pascal Bisekwa ? Où est allée l'intelligence des Tutsis ? On dirait qu'elle a été transférée chez les Hutus, et que les Tutsis sont aujourd'hui des idiots... Allez, au cachot ! » Il me donna encore plusieurs coups avec ses clés, puis un policier me saisit par le bras. « Au trou, j'ai dit ! » s'étranglait-il.

J'étais abasourdi. Je sentis qu'on m'entraînait et je fus jeté dans le cachot communal. La scène avait duré quelques minutes, et, en moins de temps qu'il n'en faut pour le dire, mon avenir s'était à nouveau peint en noir.

Le cachot était une simple pièce en terre, heureusement assez grande. Je me relevai. J'étais seul – le seul humain, car les puces me sautèrent dessus très vite. Je commençai à crier, puis m'aperçus vite que c'était vain. Je n'avais pas eu le temps de parler à Jean-Pierre, qui devait être parti prévenir les miens. J'attendais qu'on statue sur mon cas, mais il n'en fut rien. Je vis le soleil décliner, et, quand il fit noir dans ma geôle, je compris que j'y passerais au moins la nuit.

Le lendemain, à 10 heures (j'étais debout depuis 5 heures), j'entendis la clé tourner dans la serrure. On m'apportait des vivres. C'était un paquet de mon frère Égide, qui n'avait pas obtenu l'autorisation de me voir. Je me demande si sans cela on ne m'aurait pas laissé mourir de faim. Je me jetais sur la nourriture. Le policier eut la gentillesse de me laisser manger dehors, au soleil. Puis on me ramena en prison. Cela dura trois jours. Je m'ennuyais tellement que je commençais à perdre la notion du temps. Je suivais l'avancée du soleil sur les murs, je tentais de me réciter des poèmes ou des leçons que j'avais apprises, je passais et repassais en revue les visages de mes amis et de mes parents. Je sentais petit à petit une peur s'emparer de moi, que j'essayais de maîtriser. Quand tout cela allait-il finir ? Et pourquoi les miens n'avaient-ils pas encore eu le droit de me rendre visite ?

Au troisième jour, au moment où je sortais pour aller manger, j'ai entendu le bourgmestre qui hurlait. Je me suis dégagé de l'emprise – à vrai dire assez molle – du policier et me suis précipité dans le bureau de Bisekwa, stupéfait de mon intrusion. Je lui ai lancé, sans sourciller, qu'il n'avait pas le droit de me retenir dans son cachot indéfiniment et qu'il devait ou me traduire en justice, ou m'envoyer à la prison de la préfecture. Mon culot l'a bluffé : « C'est ça que tu veux ? Attends-moi cinq minutes, je vais t'envoyer au chef du service de renseignements préfectoral, et lui va t'emprisonner à vie, espèce de chien ! »

Et j'ai eu de la chance. Beaucoup de chance. On m'a menotté, et un policier avec un fusil m'a conduit devant le chef du service de renseignements préfectoral. Quand on m'a introduit, il m'a regardé en souriant : « Vous êtes le frère de Charles ? » Intrigué, j'acquiesçai. « Je crois qu'il va nous rejoindre. »

Effectivement, quelques minutes plus tard entrait mon frère Charles, qui tombait dans les bras du chef, Télesphore Kambali. Ils avaient été ensemble au séminaire de Nyundo, mais Kambali en avait été renvoyé avant que j'y entre à mon tour. L'interrogatoire prévu s'est transformé en évocation de vieux souvenirs. J'écoutais, ravi. Kambali s'est finalement tourné vers moi et m'a fait enlever les menottes : « Vous êtes libre, bien sûr. Mais allez à la commune payer une amende pour entrée illégale dans le pays. Et rentrez vite au Burundi ! Surtout, la prochaine fois, demandez un laissez-passer à l'ambassade. »

Je sautai sur mes pieds et fis ce qu'il m'avait conseillé. J'avoue avoir savouré avec délices le moment où je suis allé payer ma très légère amende à un Bisekwa furibond.

## 1985 : rapatriement individuel

Je continuais de revenir régulièrement au Rwanda, mais j'allais parfois aussi en vacances au Zaïre, où mon grand frère faisait ses études. C'est là que je fis la connaissance de nouveaux membres de ma famille, à Bukavu. Le mari de la fille de mon oncle avait des cousines qui séjournaient souvent chez lui. L'une d'elles, Jeanne Francine, me plut tout de suite. Elle était jolie, savait s'amuser, n'était pas timide. J'étais de mon côté plus réservé ; je l'observais de loin.

L'année suivante, ma sœur épousa le cousin de Jeanne Francine. Je l'ai revue, et j'ai dû être un peu plus hardi cette fois-ci, car nous passâmes du temps ensemble. Elle vivait maintenant à Kigali, même si ses parents étaient restés au Zaïre. Elle logeait chez son cousin, de façon presque illégale.

C'est là que je la retrouvai, en 1985, alors que je cherchai un emploi. En Afrique, nous restons pudiques sur nos histoires d'amour. Disons simplement que les choses allèrent cette fois beaucoup plus vite, et que nous nous aperçûmes rapidement que nous avions envie de passer du temps l'un avec l'autre : avant la fin de l'année, nous avions décidé de vivre ensemble. Nous n'avions rien. Avec mon premier salaire, j'ai acheté un lit et un matelas, et elle, quelques chaises avec le sien. Quand elle a été renvoyée, j'ai dû enseigner dans deux écoles à la fois pour pouvoir gagner suffisamment d'argent. Ce fut un peu dur. Je n'ai pu l'épouser que le 14 juillet 1987, quand ses problèmes de papiers ont été réglés. Nous avions déjà deux enfants, Angelo, né en février 1986, et Joëlle, un an plus tard.

Ainsi, après l'incident de l'emprisonnement, je mis six ans à pouvoir rentrer officiellement dans mon pays. Depuis plusieurs années, les réfugiés rwandais réclamaient le droit au rapatriement. Un universitaire rwandais, professeur aux États-Unis, Alexandre Kimenyi, avait même créé un journal, *Impuruza*, pour mobiliser les réfugiés rwandais autour de la question du droit au retour. La diaspora commença à se regrouper dans des associations actives. La riposte fut rude : le président Habyarimana, ancien ministre de la Défense de Kayibanda, arrivé au pouvoir par un coup d'État le 5 juillet 1973, déclara que le Rwanda n'autoriserait pas le retour massif des réfugiés, à cause de l'intense pression démographique que le pays subissait de l'intérieur. « Le Rwanda est comme un verre rempli. On ne peut même pas y ajouter une goutte », clama-t-il. Mais il autorisa quelques rapatriements individuels, dont je pus profiter. Ils étaient examinés au cas par cas. L'idée, bien sûr, était de faire rentrer les intellectuels, et beaucoup en profitèrent ; ce fut aussi un piège, car ils furent ainsi fichés et tués plus facilement pendant le génocide.

Le hasard voulut que, à nouveau, Télesphore Kambali, affecté à l'ambassade du Rwanda au Burundi, facilite mes démarches et informe officiellement le Rwanda de mon retour. À Kigali, je dus passer devant la plus haute autorité du renseignement civil, un certain Augustin Nduwayezu, dont le bureau jouxtait celui du président Habyarimana. Courtois, il me donna une autre lettre qui priait l'autorité communale de m'accorder une carte d'identité nationale, laquelle m'autorisait à travailler au Rwanda. Hélas, le bourgmestre était toujours Pascal Bisekwa. Le bougre tenait sa revanche !

Il me refusa ma carte d'identité et m'enjoignit d'aller faire pendant « quelques mois » des travaux d'intérêt général hebdomadaires. « Tu peux choisir, me dit-il en ricanant. Soit tu fais des travaux manuels, soit tu vas alphabétiser dans les collines. » Je ne pouvais refuser. La rage au cœur, je choisis donc l'alphabétisation. Autant être utile. N'auraient été mon envie de faire autre chose et l'angoisse de ne pas être réintégré dans mon pays, j'aurais apprécié ce travail – il me permettait de mieux connaître le peuple rwandais qui m'avait tant manqué. Mais je rongeais mon frein...

Deux mois plus tard, comme convenu, je revins voir Bisekwa. Il me refusa à nouveau ma carte d'identité et m'ordonna de continuer les travaux communs. Je commençai à protester, mais sentis bien que je ne faisais qu'accroître son plaisir. À deux reprises je revins, et deux fois il me renvoya à l'alphabétisation. Au bout de sept mois, je désespérais d'arriver un jour à régulariser ma situation. Et cette fois, mes frères ne pouvaient rien pour moi. La troisième fois que j'allai voir Bisekwa, je m'attendais à un nouveau refus.

« Montre tes mains », m'ordonna-t-il. Je les lui montrai. Elles étaient blessées : deux jours auparavant, je m'étais coupé en débitant du bois pour ma mère. Bisekwa sourit et signa ma carte d'identité. Puis il me fit un long discours, dont il devait supposer que la morale allait m'édifier pour les années à venir : « Tu vois, jeune homme, vous, les Tutsis, vous êtes des paresseux. Au lieu d'aller travailler avec tes mains, tu as choisi d'aller alphabétiser ces vieux et ces vieilles qui ne deviendront jamais des bureaucrates comme toi. J'espère que maintenant tu as compris. » Une pauvre entaille m'avait valu de devenir à nouveau citoyen de mon pays.

## Chapitre 3

# L'âge d'homme

C'est ainsi que je me retrouvai chez moi. Ce grand bonheur m'amena sans doute à me bercer d'illusions, à penser que nous allions tous pouvoir reprendre une vie normale et laisser derrière nous ces absurdités... Ma naïveté fut de courte durée. Il me fallait maintenant trouver un travail. L'idée de servir les bêtes, née pendant mon enfance, commença à se concrétiser à cette époque, à l'université du Burundi. Économie, droit, ces filières qui pouvaient permettre de faire de belles carrières étaient fermées aux apatrides. Pour les réfugiés, la voie la plus évidente était celle de l'enseignement, et c'est vers elle que, sagement, je me dirigeai.

Les études de biologie furent une révélation. Deux concepts, nouveaux pour moi, s'en dégageaient : la valeur culturelle de la vie sauvage, et le devoir de protéger les espèces menacées d'extinction. C'était loin d'être évident. La majorité des étudiants considérait que la disparition de certaines espèces était normale, et que vouloir les protéger relevait d'un sentimentalisme benêt. Je faisais partie de la minorité qui défendait mordicus le droit à la vie pour toutes les espèces. J'étais particulièrement scandalisé par la vulgate darwiniste de la survie du plus fort, qui me paraissait parfaitement immorale. Si l'espèce humaine était effectivement la plus forte, ne devrait-elle pas au contraire ressentir le devoir de protéger les espèces plus vulnérables ?

Ce cours d'éthologie me permit aussi une immersion dans d'autres cultures. Le professeur nous expliquait comment les Indiens et les Chinois respectaient la nature, mettait en avant les religions hindouiste et bouddhiste, et nous laissait les comparer avec celles dans lesquelles nous avions grandi. Ce relativisme, tout nouveau pour moi, m'amenait à considérer autrement ce que j'avais vécu. Réfléchissant à ma propre culture, je compris que ce qui menaçait les animaux dans la culture rwandaise provenait davantage de la destruction de leur habitat et de la recherche de terres arables que d'une volonté délibérée de les massacrer. La chasse traditionnelle elle-même se limitait à la recherche de viande pour les besoins alimentaires et ne détruisait pas les écosystèmes. Je fus très influencé par les idées de Konrad Lorenz, une de mes importantes découvertes intellectuelles de cette époque. Lorenz était un chercheur autrichien, Prix Nobel de médecine en 1973, qui avait fait des expériences passionnantes sur les canards, comparant leur comportement social avec celui des humains. Il notait que ces oiseaux avaient un système très élaboré de rapports entre les individus, les plus âgés protégeant les plus jeunes selon un code de conduite régulant les conflits dans le groupe. Comment ne pas rapprocher cela de mes fuites forcées loin de mon pays ? Je pensais aux primates. Non seulement il est interdit d'en manger, mais ils sont considérés comme amicaux, puisqu'ils n'attaquent ni les hommes ni les troupeaux. S'occuper d'eux serait le moyen idéal pour défendre un message écologique et trouver une façon d'améliorer notre rapport avec les animaux.

À la fin de mes études à l'université du Burundi, je pris donc la ferme décision de rentrer d'exil pour chercher un emploi dans les parcs du Rwanda. Immédiatement, j'envoyais un CV à l'Office des parcs, m'attendant à y entrer immédiatement. Hélas ! ce ne fut pas si facile. Là encore, le retour était un piège, car être diplômé du Burundi rendait immédiatement suspect : pourquoi étais-je parti ? Qu'avais-je fui ? Je fis trois tentatives, une par an, qui furent autant d'échecs. Je survivais grâce à des petits boulots déprimants. Enfin, en 1988, je reçus une nouvelle lettre de l'Office, et, cette fois, je bondis de joie : je venais d'être engagé au Projet de conservation de la forêt de Nyungwe.

## *Mon école à Nyungwe*

Je me souviens encore de mon émerveillement. Nyungwe est un grand massif forestier de montagne situé dans le sud-ouest du Rwanda – le plus grand de l'Afrique de l'Est et de l'Afrique centrale. La flore y est d'une extrême richesse : on y compte près de deux cents espèces d'arbres, cent espèces d'orchidées, des raretés comme des bégonias sauvages ou des lobélies géantes, sans oublier l'une des sources du Nil, le Rukarara. L'impatience rouge est partout présente sur le mont Bigugu. Mais mon émotion en y arrivant ne s'expliquait pas uniquement par cette luxuriance. Nyungwe, c'était la forêt par laquelle passait mon père pour aller vendre ses bêtes. Son nom avait toujours chanté à mes oreilles. Y pénétrant pour la première fois, tout fier d'en être arrivé là, je me rappelais les histoires que lui et ses amis racontaient. Chaque arbre me semblait marqué du sceau de leurs récits. C'est par ici qu'ils étaient passés, marchant derrière le troupeau de vaches ; c'est ici qu'ils avaient dormi, sous le feuillage de tel ou tel arbre géant.

Je pris le temps de découvrir mon nouveau royaume. Il m'est même arrivé de m'y perdre : un jour, j'ai erré pendant quatre heures, ne sachant plus du tout où j'étais. Je n'avais ni radio ni téléphone, pas même une boussole. La nuit est tombée. C'est en écoutant le bruit d'un camion qui passait que j'ai pu regagner la route et, de là, rejoindre l'entrée du parc. Le gîte dans lequel on me logeait était situé à Uwinka, sur une colline d'où je dominais une grande partie de la forêt. Devant moi s'étendait une succession de collines recouvertes d'arbres dont les sommets confondus formaient comme un jardin. Alentour, sur d'anciens marais asséchés, de grandes plantations de thé bougeaient au souffle d'un vent parfois violent. Les arbres étaient immenses. On y trouvait beaucoup d'acajous rouges vieux de plusieurs siècles. Des ruches y logeaient, que l'on repérait au vrombissement des abeilles affairées. Tous les matins, vers 5 heures, j'étais réveillé par le youyou des chimpanzés s'appelant d'une colline à l'autre. Pendant la journée, ces cris étaient relayés par ceux des touracos géants et de nombreux autres oiseaux. Le soir, vers 18 heures, le ciel devenait tout à coup rouge sang, et le soleil couchant se mariait au flamboiement des volcans Nyiragongo et Nyamulagira. Spectacle magique : on dit que c'est le moment où les âmes mortes se donnent rendez-vous pour communier avec les êtres de la terre. Je restai seul dans cet endroit quelque temps, puis le quittai pour une maison plus grande, à la lisière ouest du parc, à Gisakura. Jeanne Francine et nos deux enfants m'y rejoignirent. Elle allait travailler pendant plus d'une année à l'accueil des touristes et comme comptable.

À mon arrivée, j'ai trouvé une équipe d'assistants rwandais. Leur connaissance à toute épreuve de la forêt les avait conduits à tenir le rôle de guides touristiques formés sur le tas. Ils avaient découvert la forêt, en avaient vécu, l'avaient aimée. Ils en connaissaient chaque arbre et savaient à quoi servait telle ou telle feuille, quand il fallait élaguer telle ou telle espèce, connaissaient le cerapa, un médicament traditionnel contre la malaria, voyaient pousser les lianes dont se nourrissaient autrefois les éléphants et qui étouffaient désormais les arbres depuis que les pachydermes avaient disparu. L'attachement à la survie de la forêt, la volonté de la protéger contre la destruction, leur étaient chevillés au corps, beaucoup plus viscéralement que chez la plupart des théoriciens de la conservation que j'ai pu rencontrer par la suite. Cette équipe en or m'a énormément appris. Aujourd'hui encore, quand je repasse à Nyungwe, je ne manque pas d'aller les voir, et nous buvons une Primus dans le petit enclos où ils se retrouvent.

Il y avait aussi avec nous deux volontaires des Peace Corps. L'un d'eux, Chris Mate, spécialiste de l'écotourisme, devait, entre autres, tracer les pistes qui allaient ensuite devenir les sentiers arpentés par nos visiteurs. Tracer une piste est un travail précis et élaboré. Il faut d'abord identifier l'attraction que l'on souhaite mettre en avant : singes, oiseaux, chutes d'eau, marais, panorama… Il faut ensuite faire attention à longer la pente plutôt que dessiner une descente ou une montée à pic – précaution que les vachers dans nos collines négligeaient tout à fait. Il faut aménager de petits escaliers en bois afin de limiter l'érosion, et alterner sur un même parcours les clairières et les zones de forêt dense, les hauteurs et les sous-bois. Quand je suis arrivé, Chris avait déjà tracé quelques pistes : rouge, jaune, grise, verte. Nous en avons dessiné quelques autres ensemble, dont une longeant le grand marais de Kamiranzovu, l'« avaleur d'éléphants », très profond et vaseux, et dont l'eau, brune et tourbeuse, se déversait dans les rivières jusqu'au lac Kivu. Dans les années 1960 vivaient là des dizaines d'éléphants. Le dernier est mort il y a dix ans. L'ultime buffle, lui, a été tué en 1974. Aujourd'hui, une coopérative entretient les pistes.

La seconde volontaire s'appelait Katy Offut. Elle s'occupait de sensibiliser les populations à la forêt. C'est l'un des problèmes principaux de nos actions de conservation de la nature – et il allait se poser à moi avec une acuité encore plus grande au parc des gorilles : comment associer les habitants limitrophes des parcs nationaux aux projets, quand ceux-ci les privent des ressources (chasse, braconnage, plantations…) qu'ils peuvent en tirer ? Nyungwe n'échappait pas à ce problème : beaucoup de gens entraient dans la forêt pour y chercher du miel, d'autres venaient y couper du bois. Certains plantaient du chanvre. La quête du miel, en particulier, est extrêmement nuisible. Les chercheurs de miel utilisent une méthode traditionnelle, avec du feu et de la fumée, ce qui provoque fréquemment de grands incendies.

Nous organisâmes plusieurs réunions autour de ce thème, où je m'adressais aux notables locaux, aux instituteurs et aux fonctionnaires communaux. Nous faisions valoir l'intérêt que tous avaient à protéger la forêt. Ils étaient d'accord, bien sûr. Mais de quoi allaient-ils vivre ? Cette logique globale était à l'époque très peu admise par les ONG de conservation, braquées sur la seule protection des animaux et des arbres. Elle allait, au fil des années, s'imposer comme cruciale.

Car Nyungwe était alors une réserve naturelle très mal protégée. Il y avait des orpailleurs qui éventraient la terre des marais dans leur quête hypothétique ; un village de cinq cents personnes, avec des bars qui attiraient les trafics habituels. Des commissionnaires y vivaient. Le gouvernement décida d'éliminer ce village en 1989. Les gens résistèrent, mais sans verser dans la violence. Les filons d'or étaient de toute façon épuisés depuis les années 1950, et les derniers prospecteurs n'en trouvaient plus guère que des miettes. Mais leur activité, les incendies, les chasses, avaient amputé la forêt de plus de 150 kilomètres carrés. Aujourd'hui, les braconniers sont beaucoup plus rares, mais n'ont pas encore totalement disparu : ils traquent toujours les phacochères, les chèvres, les porcs-épics...

C'est ici que j'ai suivi mes premiers primates. Des cercopithèques nous entouraient, dont même les plus sauvages allaient sur la route. Des colobes, des singes moines, des singes bleus, sautaient fréquemment d'arbre en arbre. Le matin, j'étais réveillé par des groupes de chimpanzés, que les gardes m'emmenèrent suivre plusieurs fois. La forêt en abritait plus de cinq mille. J'appris à marcher derrière eux, à les regarder vivre, à essayer de les comprendre. Je pus même un jour pister le singe à tête de hibou, que l'on croise si rarement.

Nyungwe fut mon école, mon terrain de jeux, le lieu de ma première rencontre physique avec ces animaux que je n'ai cessé d'aimer depuis. Je me souviens tout particulièrement d'une « fête » chez les colobes du parc, qui me convainquit, s'il en était encore besoin, que la différence entre humains et animaux était plus une chimère née de notre orgueil qu'une donnée objective. Les colobes vivent au sein de vastes groupes au système social très fluide, où mâles et femelles vont et viennent d'un groupe à l'autre. Ils se nourrissent surtout de graines. Une torsade de longs poils leur sert de gouvernail quand ils sautent. Quand ils habitent sur le même territoire que les chimpanzés, ils sont leur proie favorite.

Je me souviens d'un matin d'avril. Je sortais de mon gîte d'Uwinka, j'avais prévu d'aller observer un groupe qui avait passé la nuit à quelques centaines de mètres. Nous étions en pleine saison des pluies. Pourtant, ce jour-là, le soleil brillait et le ciel était bleu. En cours de route, je perçus une animation inhabituelle dans la forêt, j'entendais des youyous de colobes. Soudain, je les vis et m'immobilisai pour ne pas les déranger. Une femelle venait de mettre bas. Elle tenait son bébé dans les bras, une petite boule de poils tout blancs. Elle le passa à son voisin, qui le regarda, puis le donna à son tour à côté de lui, et ainsi de suite. Impeccablement alignés en file indienne, les colobes se passaient le bébé et le regardaient, comme l'aurait fait une famille humaine en visite à la maternité. Après ce que j'avais vécu comme Tutsi rwandais, observer ces comportements sociaux aussi respectueux de l'autre et de la vie m'amena à me poser la question de la prétendue supériorité de l'homme sur l'animal. En même temps, en voyant ce groupe fuir quand il sentait notre présence, je percevais sa vulnérabilité, sa fragilité. Et je me disais qu'il fallait que quelqu'un fasse quelque chose…

Tous les jours, les traqueurs, assistants chargés de localiser les animaux, suivent les chimpanzés, tentent de les habituer à la présence de l'homme. Un travail long et patient. Ils commencent par s'asseoir loin des singes et les observent. Puis, petit à petit (et ce petit à petit peut prendre des jours), ils se rapprochent. Au bout d'un moment, les bébés, les plus intrépides, viennent jouer avec eux. Les traqueurs leur donnent des noms. Il faut à peu près cinq ans d'approches pour habituer un groupe. Deux le sont aujourd'hui, à Nyungwe, et un troisième est en passe de le devenir, soit plus d'une centaine de singes. C'est à Nyungwe que j'ai concrètement pris conscience des enjeux de la conservation. Garder intacts de tels lieux était plus qu'une nécessité : un devoir.

Je continuai mon apprentissage au parc national de l'Akagera, dans l'est du pays, où je fus muté en 1989. L'Akagera est un parc de deux mille cinq cents kilomètres carrés. Il a été créé en 1934 pour protéger les animaux. Cette réserve naturelle abrite un décor saisissant, un paysage de savane africaine fait de buissons entremêlés d'acacias et de brachystegias. Des prairies naturelles et une douzaine de lacs bordés de marais épousent les méandres de la rivière Akagera dans sa tranquille course vers le Nil. Au sud-est se trouve la frontière avec la Tanzanie, où la rivière a creusé dans les sédiments rocheux les plus belles chutes d'Afrique orientale : toutes les eaux de l'est du Burundi et du Rwanda et celles du nord-ouest de la Tanzanie se rencontrent dans de vastes marécages avant de se bousculer dans une gorge étroite et rocheuse et de se précipiter dans un creux sans fond, dont sort une épaisse vapeur blanche.

La faune y est aussi riche que la flore. Des troupeaux d'éléphants et de buffles sortent des forêts pour boire aux lacs, et y croisent lions, léopards ou hyènes tachetées. Des lagunes abritent des hippopotames et des crocodiles. Du haut des talus, des babouins au regard malicieux contemplent les girafes, les zèbres et plus d'une douzaine de genres d'antilopes. Ces babouins, d'un gris clairsemé de taches rousses, campent sur les rives des lacs. Au cours de mes nombreuses visites dans le parc, j'ai souvent échangé un regard complice avec eux, supposant que, comme moi, ils étaient impressionnés par les bruits inattendus, par les chants d'oiseaux inconnus. C'est en les suivant à distance que je suis parvenu à l'un des endroits les plus enchanteurs du parc : un lac où se donnent rendez-vous une des plus grandes concentrations d'oiseaux aquatiques du continent : cigognes, aigrettes, ibis, pluviers, bécasseaux, martins-pêcheurs, hérons...

Quand j'observais les primates, je lisais dans leur attitude toute une gamme de réactions que j'interprétais comme de la joie, de la colère ou de la détresse. Je me familiarisais avec ces émotions animales. Et chaque fois que je traversais les grands parcs d'animaux sauvages d'Afrique de l'Est, il me semblait sentir de mieux en mieux les « sentiments » de ces « bêtes ». J'étais censé, dans l'Akagera, développer un programme de recherches et organiser des patrouilles sur le lac. Mais, n'y étant resté que de novembre 1989 à février 1990, je n'eus pas le temps d'y faire grand-chose.

Un soir de cet hiver-là, nous décidâmes de sortir et d'emprunter un des véhicules du Projet pour aller voir un film projeté dans tout le pays et qui passait à Cyangugu. *Gorilles dans la brume* avait été tourné chez nous, au Rwanda, et racontait l'histoire de cette Américaine un peu folle qui avait tant fait pour les gorilles. J'avais bien sûr lu tous les livres que comptait la petite bibliothèque du parc, y compris celui de Dian Fossey. Le film, malgré son romanesque forcé et des parties sentimentales très envahissantes, me bouleversa. Quelques jours plus tard, j'appris que j'avais été nommé au parc des Volcans. Je touchais du doigt mon rêve : m'occuper enfin des gorilles.

## Splendeur et misère du volcan Bisoke

Au début de 1990, je m'installai donc au parc, qui est situé dans le nord-ouest du pays, et, après quelque temps, j'y fis venir ma famille. Je pensais avoir trouvé le havre où nous pourrions tous tenter d'oublier les haines. Cela ne devait pas du tout se passer ainsi. Dès les premiers jours au parc des Volcans, je sentis à mon égard une franche hostilité. La menace était palpable. Je gênais, mon parcours gênait, mon ethnie gênait… Pis, le Front patriotique rwandais (FPR) menait de nombreuses offensives, souvent victorieuses, que la propagande présentait comme d'insupportables agressions. J'évitais d'en parler, mais, étant le seul Tutsi du parc, on me considérait comme forcément complice. Que faire ? J'étais là avec ma femme et mes enfants, je ne pouvais les laisser derrière moi, et je n'étais pas revenu pour fuir à nouveau. J'enregistrais donc ces menaces, et tentais de m'habituer à l'idée que je pouvais à tout moment être arrêté, voire tué.

Car j'avais accepté le poste sans hésiter, bien que cette décision ne fît pas l'unanimité parmi mes proches, loin de là. Ma mère, qui habitait à plus de quarante kilomètres de Ntendezi, se rendit chez moi de toute urgence pour me faire part, comme d'autres avant elle, de ses appréhensions quant à ma sécurité dans le nord du pays. Mes beaux-parents, qui vivaient encore au Zaïre, dépêchèrent mon beau-frère Jean-Jacques Kamere pour tempérer mon ardeur. Un collègue, alors conservateur de la réserve forestière de Nyungwe, Édouard Shabani, qui avait travaillé un certain temps au parc des Volcans, me prévint lui aussi : la haine anti-Tutsis était trop forte là-haut pour que je pusse m'y installer sans danger.

Mais je voulais travailler dans la conservation, et le faire pour de bon, en étant sur le terrain. Je m'obstinai et me rendis au siège de l'Office des parcs nationaux, à Kigali, pour recevoir des instructions officielles. Quand commencerais-je ? Comment serions-nous défrayés, moi et ma famille ? Mon supérieur hiérarchique, Étienne Nyangezi, s'excusa presque que ses efforts pour stopper ma mutation aient été vains… Aveuglé par ma passion pour l'étude des gorilles, rien ne pouvait m'arrêter. À tort ou à raison ? Quelques années plus tard, tout le Rwanda était dévasté, et pas seulement le Nord. Bien sûr, je fus battu, arrêté, emprisonné. Aurais-je été plus en sécurité ailleurs ? Je l'ignore encore aujourd'hui.

J'arrivai donc, on s'en doute, brûlant de m'atteler à la tâche, excité par ce nouveau défi comme je ne l'avais encore jamais été... Officiellement, j'étais le biologiste du parc. Mais mes patrons de Kigali n'avaient pas précisé les contours de mon champ de compétences. J'allai donc voir tout de suite le conservateur du parc national. Hélas, lui non plus ne parut pas comprendre en quoi consistait ma mission. Je me retrouvais donc régulièrement délégué aux différentes réunions organisées par les autorités locales, et, aussi piètre orateur que je fusse, j'y prenais la parole pour sensibiliser les paysans à la nécessité de protéger les gorilles. C'était sans grand intérêt, et je commençais moi aussi à me demander ce que j'étais venu faire ici. Le seul avantage de cette situation bâtarde était le temps libre qu'elle me laissait. J'en profitais pour me familiariser avec le travail dans le parc. Je mourais d'envie de rencontrer ces fameux gorilles. Le projet fut repoussé plusieurs fois, jusqu'à ce qu'un jour, enfin, un traqueur accepte de m'emmener. Nous marchâmes longtemps. Et, au détour d'un sous-bois, nous les vîmes, pourtant presque invisibles tant leur masse noire se confondait avec la semi-obscurité du lieu. Je sentis immédiatement leur force physique extrême et j'eus le sentiment ambigu de me trouver à la fois devant un être aussi proche que l'on pouvait l'être de l'humain et devant une bête sauvage. À un moment, le dos argenté sauta vers nous et, dressé sur ses pattes arrière, se mit à se frapper la poitrine. Le guide me fit immédiatement signe de reculer : le vieux mâle défendait les siens avec ardeur.

Je me mis ensuite à suivre régulièrement les guides lors de leurs patrouilles, ce qui me permit d'approcher plus directement les gorilles. Les journées étaient longues, et la routine dans laquelle se complaisait le personnel de l'administration du parc m'agaçait sans que j'ose encore la dénoncer. Chaque matin, tous se présentaient au bureau pour accueillir et orienter les touristes venus voir les gorilles. Vers 9 heures, quand c'était fini, ils se dirigeaient nonchalamment vers le bar, où la Primus coulait à flots pendant qu'on préparait des brochettes de chèvre. Ils y restaient sans exception jusqu'à la fin de l'après-midi, heure à laquelle ils rentraient alors chez eux. Et ainsi chaque jour. Je bouillais : je n'avais pas fait des études de biologie au Burundi pour siroter de la Primus toute la journée, fût-ce dans ce cadre magique ! Mais comment occuper mes journées, sans mission précise ? Je m'organisais comme je pouvais, en tapant des rapports de mes visites dans la forêt sur la vieille machine de notre service.

Le parc des Volcans est un endroit fascinant, et le fréquenter depuis vingt ans n'a en rien affadi le charme qu'il exerce sur moi. Les gorilles habitent l'une des dernières forêts de montagne de l'Afrique de l'Est. La chaîne des Virunga s'étend de l'extrême est du Congo au nord-ouest du Rwanda et au sud-ouest de l'Ouganda. Il y a cinq volcans, à cheval entre la RDC et le Rwanda : par ordre de grandeur, le Karisimbi (4 507 mètres), le Muhabura (4 127), le Bisoke (3 711), le Sabyinyo (3 631), le Mgahinga (3 474).

Le spectacle de ces volcans projetant vers le firmament leurs cimes parfois enneigées est splendide. En arrivant, j'avais très envie de les escalader, d'aller jusqu'à ces hauteurs, de tutoyer moi aussi ces sommets... Ce fut au plus facile d'accès, le Bisoke, couronné par un cratère contenant un lac de quatre cent cinquante mètres de diamètre, que je m'attaquai en premier. Il est bâti en forme de cône. De ses pentes assez raides composées de laves trachyandésitiques part un alignement de scories s'étirant à ses pieds vers le nord-est. Le conservateur m'avait chargé d'accompagner un groupe de journalistes européens venus faire des reportages sur les gorilles. Il ne savait pas, en me confiant cette mission, combien il comblait mes vœux. Ma joie était telle que j'écoutais à peine le reporter belge qui n'arrêtait pas de parler et que nous dûmes presque porter jusqu'au sommet... Pour me préparer à mon nouvel emploi, j'avais beaucoup lu sur la faune et la flore de cette forêt de montagne. J'en avais retenu la succession des étages de végétation. Sur le terrain, les bottes enfoncées dans la boue, les séparations étaient plus nuancées que dans les descriptions des botanistes. Nous progressions avec difficulté : la boue envahissait tous les chemins, les rendait glissants et traîtres, et les journalistes étaient assez mal équipés pour cette aventure. Mais en haut je fus ébloui : la brume s'était déchirée, restant accrochée sur quelques cimes pendant que se dévoilait le paysage magique des autres volcans de la chaîne. Mon émerveillement dépassait celui de mes camarades, qui me demandèrent, étonnés, si c'était ma première ascension.

En redescendant, je fus surpris par la densité du peuplement humain autour du parc, et surtout par l'audace des agriculteurs, qui cultivaient des pentes abruptes jusqu'au-dessus de deux mille six cents mètres. Il allait falloir les convaincre de reculer et mettre en œuvre de quoi faire respecter cette interdiction. La tâche serait ardue...

Plus tard, au mois de juillet, je crois, j'escaladai le volcan Muhabura. Les circonstances furent moins joyeuses. La face est du volcan brûlait, et l'administration locale avait mobilisé les populations et l'armée pour éteindre le feu. Les cadres du parc se succédaient pour superviser les opérations. Les flammes dévoraient les arbres et le sous-bois. Plusieurs fois nous nous crûmes cernés et nous vîmes condamnés à périr. Il nous fallut une semaine pour en venir à bout, et les flancs blessés du volcan portèrent longtemps les traces noircies de l'attaque des flammes.

Hormis ces incidents, mes journées étaient toujours aussi vaines. Quand j'en eus vraiment assez de cette vie inutile, je décidai de demander à être incorporé aux équipes du centre de recherche de Karisoke, celui-là même qu'avait fondé Dian Fossey.

## Sur les pas de Dian Fossey

Mon jour de chance finit par arriver. J'étais en train de pianoter sur ma machine. Tout le monde était au bar, à boire, quand arriva Diane Doran, la nouvelle directrice du centre de recherche de Karisoke. Elle parut surprise de me trouver ainsi seul et j'en profitai pour lui demander si je pouvais visiter le centre. « D'accord, venez », me dit-elle en souriant. Je sentis immédiatement sa sympathie pour moi. Nous prîmes rendez-vous. Là, j'expliquai à Diane combien je me sentais sous-employé et lui demandai si je pouvais travailler au centre. Elle accepta et m'octroya une résidence sur place, même si elle ne savait sans doute pas elle-même en quoi je pourrais être utile. Il ne me fallut pas longtemps pour empaqueter mes affaires et gagner mon nouveau logement de fonction. Je m'y sentais bien, malgré son manque de confort : le centre était situé à trois mille mètres d'altitude, entre les volcans Karisimbi et Bisoke. Il faisait froid et humide, à cause de la rivière qui coulait non loin de là. La température tombait souvent à zéro degré, et je grelottais quand, en sortant de mon duvet, tôt le matin, il fallait retrouver les gorilles avant qu'ils ne quittent leur nid.

Un recensement des gorilles du massif avait été fait un an avant mon arrivée, en 1989. Trois cent vingt individus avaient été repérés. C'était beaucoup mieux que le résultat de la précédente enquête, vieille de vingt ans, et qui en dénombrait moins de deux cent quatre-vingts, mais très inférieur à ce qu'avait été la population dans les années 1950, où elle était estimée à plus de quatre cent cinquante têtes. Ces primates avaient dû survivre aux amputations successives de portions du parc, à l'envahissement par les bergers qui y menaient paître leurs vaches, aux chasses des braconniers qui enlevaient les bébés et dont les pièges avaient tué ou handicapé plusieurs adultes.

Je décidai de suivre les traqueurs de gorilles et les chercheurs dans la forêt. Cela n'alla pas de soi : si les traqueurs étaient indifférents à ma présence, les chercheurs, tous occidentaux, me manifestèrent vite une véritable hostilité. Plusieurs me demandèrent ce que je faisais là, agacés de voir à leurs côtés quelqu'un qui n'avait pas de travail bien défini. C'était du moins la cause officielle de leur attitude. Mais je me rendis vite compte qu'il n'y avait pas que cela : le mélange d'un vieux fond de colonialisme et de l'image déplorable que donnaient les agents du parc. Mes collègues occidentaux considéraient que la conservation n'était pas vraiment une affaire de Rwandais. Ni même d'Africains ! Si l'apathie de mes confrères me révoltait, ce paternalisme et ces préjugés m'exaspéraient tout autant. Au nom de quoi généralisaient-ils la situation à partir de quelques rares agents paresseux ? Qui étaient-ils pour condamner les efforts et l'engagement de gens comme moi ?

Cette attitude n'était absolument pas celle de Diane Doran, qui me suivait de près et me demandait régulièrement comment se passait mon apprentissage. Elle avait demandé à ses chercheurs de m'initier à la manipulation de l'ordinateur, encore peu répandu, surtout sous nos latitudes. Et, de mon côté, je refusais de baisser les bras. Malgré mon faible niveau d'anglais, que je m'obligeais à perfectionner, je lus tous les livres que je trouvais sur les gorilles. À force de les côtoyer, je commençais à sympathiser également avec les assistants de recherche rwandais. Ils avaient des connaissances approfondies sur la vie des primates et m'ont appris beaucoup de choses. Nous partions à 5 heures du matin et retrouvions les gorilles là où ils passaient la nuit. Ces escapades me passionnaient. Jamais depuis je n'ai de nouveau eu l'occasion de les approcher d'aussi près et de passer tant de temps avec eux. Nous les suivions ensuite toute la journée. Leur chaleur presque humaine, leur affection manifeste pour leurs bébés, la gaieté des adolescents et la sagesse des mères m'ont étonné puis séduit. Nous ne nous approchions pas trop, mais les petits venaient jouer avec nous, et c'est nous qui devions alors reculer. Au bout de trois mois, je les identifiais sans problème.

Au matin, nous les trouvions couchés, se levant un par un, paresseusement. Puis ils mangeaient des écorces, des feuillages, des herbes, et, vers 11 heures, se reposaient. Les petits en profitaient alors pour chahuter. Vers midi ou 13 heures, ils retournaient manger, et, en fin de journée, cherchaient un endroit où passer la nuit. Le gorille de montagnes peut mesurer jusqu'à un mètre soixante-dix et peser plus de deux cents kilos. Le dos des mâles adultes devient gris-blanc, ce qui leur vaut l'appellation de « dos argentés ». Les muscles de la mâchoire sont fixés sur le haut du crâne, formant une bosse qui peut être deux fois plus grosse chez les mâles que chez les femelles. Leur poil est long et épais, adapté au climat, et je dois avouer que, le matin, je ne pouvais que leur envier cet attribut. Nous allions les traquer tôt, car ce sont des animaux diurnes. Ils se déplacent à quatre pattes, sur la plante des pieds et sur les jointures des doigts de la main. Certains, parfois, marchent debout, mais peu de temps et dans un but bien précis : traverser une zone marécageuse ou atteindre les feuilles d'un arbre.

Tous les jours, ils bougent, en quête de nourriture. C'est pourquoi les localiser est souvent compliqué : il leur arrive de parcourir deux kilomètres par jour, et ils reconstruisent un nid tous les soirs dans un endroit différent. Ils vivent en groupe, on peut dire en famille, presque en harem, tant les femelles et les petits sont nombreux autour du mâle dominant. Ces familles oscillent entre cinq et soixante individus.

Les mâles doivent trouver tous les jours les bons sites pour nourrir leur bande, ainsi qu'un endroit sûr où passer la nuit. Leur nourriture est essentiellement composée de fruits quand c'est la saison et de feuilles, d'écorces, de tiges, de racines, le reste du temps. Ils raffolent des pousses de bambou, qui les mettent dans une évidente ivresse. Lors de la courte période où ils se gavent de cette friandise, il n'est pas rare de les voir tituber, voire tomber des arbres… Le mâle dominant protège aussi son groupe contre les prédateurs et affirme sa légitimité en empêchant un autre mâle de prendre l'ascendant sur le groupe. On entend parfois de soudains hurlements, des bruits de branches violemment brisées : c'est un combat. Les chefs en viennent rarement aux mains, mais tentent de s'impressionner en montrant les dents et en faisant le plus de bruit possible, d'où ce fameux geste de se taper la poitrine, popularisé par un certain nombre de films. Cette relative sagesse n'est pas le fait des femelles, qui, elles, n'hésitent pas à se mettre de sauvages raclées… Une fois toutes ses obligations accomplies, le gorille mâle peut se livrer à ses deux activités préférées : ne rien faire et se faire épouiller par des femelles complaisantes.

Les bébés naissent après une gestation de neuf mois. À la naissance, le petit gorillon pèse à peine deux kilos et dépend totalement de sa mère. Pendant les cinq premiers mois de sa vie, il reste accroché à son ventre pour téter, dormir et se déplacer. En grandissant, il se dégourdit et peut alors grimper sur son dos. Au bout d'un an et demi, il marche et commence à se nourrir lui-même, mais, au moindre danger, il revient très vite sur sa mère qui l'allaitera jusqu'à ses trois, quatre, voire cinq ans, date correspondant à l'arrivée d'un nouveau petit. Comme chez tous les grands singes, le gorillon a besoin de temps pour apprendre tout ce qu'il doit savoir. La maturité sexuelle arrive à sept ou huit ans chez les femelles et à dix ou douze pour les mâles. Il est alors temps pour eux de quitter le groupe familial. Les femelles trouveront un mâle célibataire ou un nouveau groupe, les mâles rejoindront un groupe de mâles ou erreront seuls en attendant de trouver des femelles.

J'ai appris assez vite à les reconnaître. Je me souviens de ma joie la première fois que j'en ai identifié un sans me tromper. Les gorilles sont tous uniques. On les reconnaît à leur empreinte nasale. Chaque animal en a une, aussi identifiable que le sont nos empreintes digitales. Si vous les observez de près, vous verrez des rides et des sillons nasaux différents chez chacun. Ajoutez à cela des yeux et un visage souvent très expressifs...

## En visite chez les Kwitonda

J'aimerais maintenant parler du groupe que je connais le mieux, celui de Kwitonda. Il était formé

de vingt et un membres, dont quatre dos argentés, deux jeunes mâles, cinq femelles adultes,
deux femelles adolescentes de huit ou neuf ans,
trois femelles de quatre à six ans et cinq gorillons
de moins de trois ans. La première fois que je suis
allé à sa rencontre, nous étions partis à 6 heures du
matin, alors que d'épais nuages couvraient les sommets des volcans. La nuit précédente, il avait plu
abondamment et nous pataugions dans une boue
glissante. Le soleil, qui montait plus vite que nous,
découvrait petit à petit le paysage.

Sitôt entrés dans le parc, nous avons remarqué des
traces fraîches de buffles. Ils avaient sans doute raz-
zié quelques champs de pommes de terre, au grand
dam des populations. Il nous fallait faire attention :
autant le gorille est paisible, autant le buffle peut
charger violemment. D'ailleurs, nous les aperçûmes
bientôt, sept gros animaux qui nous observaient. Les
gardes s'approchèrent, et les buffles s'enfuirent vers
l'est du parc. Nous en conclûmes que les gorilles
devaient se trouver à l'ouest ; les buffles auraient
eu trop peur de fuir dans leur direction. Jérôme et
Théogène, les deux pisteurs, ont commencé à marcher côte à côte en fixant le sol. Cinq minutes plus
tard, nous avons entendu le bruit de pas d'un buffle
solitaire et avons alors mis définitivement le cap
vers l'ouest, jusqu'à ce que nous trouvions les nids
où les gorilles avaient dormi.

Commença alors le comptage des nids et des
individus. D'un regard expert, Théogène vérifiait

s'il n'y avait pas de traces de diarrhée ou de sang coulant d'une blessure. Compter le nombre de gorilles à partir de leurs nids demande de l'expérience, car le nombre de nids est souvent inférieur à celui des gorilles. Ce jour-là, par exemple, alors que le groupe comportait vingt et un individus, nous n'avons identifié que quinze nids. De volumineux tas d'excréments indiquaient la présence des dos argentés. Leurs quatre nids entouraient ceux des autres membres du groupe, un dispositif destiné à les protéger en cas d'attaque. Les jeunes, eux, ne construisent pas de nids mais se couchent à côté de ceux des aînés.

Il fallait ensuite trouver les gorilles. Leurs traces étaient visibles, comme une voie tracée à travers les hautes herbes et les buissons. À peine cent mètres plus loin, nous les avisâmes, dispersés en petits groupes sur environ cinq hectares. Douze gorilles entouraient le dos argenté dominant, Kwitonda, alors que cinq autres louvoyaient autour d'un autre mâle appelé Kigoma. Kigoma est le mâle qui monte, attirant maintenant autour de lui plus de jeunes que Kwitonda, qui vieillit. La passation de pouvoir n'est pourtant pas encore faite, et j'ai vu Kigoma venir respectueusement rendre hommage à Kwitonda.

Le travail est ensuite très précis qui demande à repérer chaque individu. La facilité avec laquelle cela se fait est étonnante. Chaque gorille a vraiment sa personnalité, son physique, sa manière d'être et de se déplacer. Nous avons d'abord vu un jeune mâle du nom de Marambo perché dans un arbre en train de dévorer des lianes. À la jumelle, il paraissait en bonne forme. Puis apparut un jeune dos argenté de douze ans, Magumu. Il mangea tranquillement jusqu'à ce qu'il nous aperçoive. Sans attendre, il s'est avancé, désireux de jouer. Kwitonda trônait, impérial. Tous étaient autour de lui, et ne se déplaceraient que si lui le décidait. Une femelle adulte se tenait à ses côtés, paisible : Kibyeyi était sa favorite et ne le quittait pas. Elle avait déjà donné naissance à cinq petits : un dos argenté appelé Akarevuro et quatre femelles. Quand Kwitonda s'est levé, tous les autres l'ont suivi, ce qui nous a permis de faire très vite notre comptage. Soudain, des cris attirèrent notre attention. Kibyeyi, la favorite, s'attaquait à la femelle handicapée Nyamurema, qui mangeait tranquillement une liane. Kwitonda intervint, donnant de la voix, et l'incident fut immédiatement clos. L'antagonisme entre les deux femelles, m'expliqua Jérôme, remontait à longtemps. Nyamurema avait perdu une main dans un piège il y a plusieurs années. Puis, dans une autre bagarre avec Kibyeyi, elle avait perdu un œil. Les raisons de cette bagarre sont étrangement humaines : Nyamurema copulait avec le dos argenté Akarevuro, fils de Kibyeyi, qui, furieuse, leur sauta dessus et arracha l'œil de Nyamurema.

Ce genre d'attaque violente au sein d'un groupe de gorilles est rare. Quand elle survient, les membres du groupe doivent en assumer les conséquences :

ils sont très sujets au stress et l'on trouve souvent dans leurs selles des traces de sang, qui en sont la marque. À cause du double handicap de Nyamurema, les autres gorilles, jeunes mâles et femelles, durent l'aider à porter son bébé, qui n'avait encore qu'un an. Ce bébé fut nommé plus tard Umoja, ce qui signifie « union » en kiswahili. Au moment de la visite, Umoja avait cinq ans et très bonne mine.

Rencontrer ainsi les gorilles, c'est saisir leur proximité avec l'homme, comprendre comment on peut nouer avec eux des liens privilégiés. Dian Fossey l'avait fait ; elle était très proche de plusieurs individus, dont une guenon qu'elle avait nommée Digit.

## *Qui était Dian Fossey ?*

Dans les années 1950, une jeune étudiante américaine se passionna pour les recherches sur l'Afrique. Elle fit la connaissance du célèbre paléontologue Louis Leakey, celui-là même qui fit progresser les connaissances sur les ancêtres de l'homme et travaillait dans la région de la vallée du Rift de l'Est, entre le Kenya et l'Éthiopie. Déterminée jusqu'à l'obsession et bien décidée à partir pour l'Afrique, elle emprunta l'équivalent de trois ans de salaire pour y faire un voyage touristique de six mois.

Contrairement à Leakey, Dian Fossey a commencé ses recherches dans la vallée du Rift de l'Ouest avant de se passionner pour les gorilles des montagnes. Pendant près de dix-huit ans, elle suivit plusieurs familles à travers leurs pérégrinations, leur généalogie, parfois leur éclatement. Dès le début de son étude, elle fut confrontée aux braconniers qui écumaient la forêt, mais aussi aux bergers et à leurs troupeaux. Elle créa, en 1967, toujours dans un but d'étude et de protection, le centre de recherches de Karisoke, dans le nord du Rwanda, tout près de Ruhengeri.

Elle y mena les recherches qui allaient constituer la matière de sa thèse de doctorat, soutenue en 1974 à l'université de Cambridge. En janvier 1970, son portrait, photographié par Bob Campbell, paraît en couverture de la célèbre revue américaine *National Geographic*. Elle devint alors une célébrité mondiale, ce qui donna une publicité appréciable à l'entreprise de protection des gorilles. Elle a raconté par ailleurs son expérience et ses observations dans son livre de mémoires, *Gorilles dans la brume*. Le succès du film qui en a été tiré a favorisé une prise de conscience internationale sur le danger encouru par les gorilles des montagnes. Préoccupée par le braconnage dont les gorilles étaient victimes, la jeune Américaine a tenté de s'allier avec les différents gouvernements rwandais, d'abord celui de Kayibanda, puis celui de Habyarimana, pour les protéger. Mais ceux-ci sont restés plutôt réticents : le braconnage est en effet le seul moyen de survie des paysans habitant près des volcans. Dian Fossey refusa pourtant cette fatalité et créa plusieurs patrouilles antibraconnage. Elle mena une campagne virulente contre les villageois engagés par des Occidentaux avides de prendre possession de peaux, de mains ou de têtes de gorilles. Elle mourut assassinée, le 26 décembre 1985, dans des circonstances restées mystérieuses, et fut enterrée dans le cimetière qu'elle avait fait construire pour les gorilles.

Je n'ai pas connu Dian Fossey personnellement. Nombreux sont les agents qui, ayant travaillé avec elle, lui reprochent sa dureté envers les braconniers et la façon dont elle traitait les employés. Ses méthodes étaient très paternalistes, et elle alternait la générosité et la brutalité avec le personnel local du centre. Extrêmement condescendante avec les autorités communales ou préfectorales, elle s'était taillé la réputation d'être une donneuse de leçons ne comprenant rien à la vie des Rwandais. Et l'on sait aujourd'hui qu'elle a commis de grosses erreurs, comme celle de toucher les gorilles (les règles actuelles de visite ou de travail exigent que l'on ne s'approche pas des gorilles de près, comme elle le faisait, pour éviter leur contamination par des maladies humaines). Même si tout cela est vrai, je garde une très haute idée de cette femme pionnière et courageuse. Son action dépasse les frontières du Rwanda, et je crois qu'elle inspirera encore longtemps la conservation et la protection des espèces menacées. Sans elle, les gorilles des montagnes auraient peut-être disparu.

Curieusement, alors que nous vivions tous dans son ombre, tandis qu'une relation de confiance naissait entre moi et les assistants de recherche, son nom n'était que rarement évoqué. Et quand je voulais en parler, je me heurtais souvent à des visages butés. On me disait d'aller voir les Blancs, manière évidente de me renvoyer dans les cordes. Même Jean Bosenibamwe, mon premier assistant, restait muet. Ce n'est que plus tard, après le génocide, qu'il consentit à me raconter l'histoire de la mort de Dian Fossey telle qu'il l'avait vécue, alors qu'il n'avait que seize ans. Je la raconte à mon tour : trop de mystères entourent encore la personnalité et la fin de cette pionnière pour que ce témoignage reste secret.

## Souvenirs de la mort de Dian Fossey

Je préfère laisser la parole à Jean et retranscrire ce qu'il m'a raconté, alors que le bain de sang subi par notre terre nous faisait sans doute paraître à tous deux cette mort beaucoup plus lointaine et étrangère.

« Dian Fossey avait établi un protocole matinal de travail que les employés du camp suivaient à la lettre. À 5 heures du matin, un agent devait aller chasser les corbeaux s'agitant sur son toit. Trente minutes plus tard, un autre agent allumait le feu dans la cabane, où la température approchait souvent de zéro degré, et un troisième préparait un café chaud. En ce matin du 26 décembre 1985, vers 5 heures, nous avons été alertés par notre collègue parti chasser les corbeaux. Il venait de voir un trou béant dans le mur de la cabane, fait de simple tôle. Il a alors pensé que des bandits étaient passés par là pour la cambrioler. Immédiatement, nous nous sommes précipités, et l'avons trouvée inanimée au pied de son lit, le visage fendu par deux coups de machette. Comme j'étais le plus jeune du groupe, on m'a envoyé alerter Wayne McGuire, son seul compatriote présent dans le centre. »

Jean est un ancien agent de Karisoke. Il avait commencé par transporter les bagages des visiteurs pendant les vacances, quand il était encore à l'école primaire, et avait été repéré par le docteur Philippe Bertrand, un ami français de Dian Fossey. Il profita de ce privilège pour demander à Bertrand de lui trouver un emploi auprès de Dian. Le Français le fit volontiers, et Jean commença à travailler à Karisoke comme aide-cuisinier le 1er octobre 1985. Dian Fossey lui confia peu après la gestion de la station météorologique installée sur le site : avec ses six années d'école primaire, Jean était l'un des rares agents locaux de Karisoke à savoir lire et écrire. Il devint l'homme à tout faire de la patronne du camp. La veille du meurtre, il avait passé la journée à emballer les cadeaux de Noël que Dian Fossey réservait à ses employés. Elle était de bonne humeur ce jour-là : elle attendait, pour le 26 décembre, des visiteurs en provenance des États-Unis, dont une amie de longue date, Ruth Keesling.

Jean courut donc annoncer la nouvelle à Wayne McGuire, un jeune chercheur américain vivant au camp et jugé comme bizarre car il fumait réguliè-rement du chanvre. Il dut la lui répéter plusieurs fois avant de se faire entendre. Quand McGuire comprit vraiment ce qui s'était passé, il chancela. Tremblant de tout son corps, il chaussa ses bottes de façon désordonnée, une noire à un pied, une verte à l'autre. Jean et ses collègues l'amenèrent près du corps de Dian et lui demandèrent de prévenir par radio l'ambassade des États-Unis à Kigali. Il était tellement choqué qu'il n'y parvint pas. Un réserviste de la gendarmerie rwandaise, devenu garde de l'Of-fice rwandais du tourisme et des parcs nationaux, le fit à sa place.

En attendant l'arrivée des responsables officiels, les agents du parc se mirent en quête d'indices. Ils purent identifier les traces d'au moins trois ou quatre personnes, dont une seule portait des bottes. Quand la police arriva, elle embarqua tout le monde pour interrogatoire. Informée à son tour de l'assas-sinat, l'ambassade des États-Unis envoya ses agents pour qu'ils procèdent à une fouille approfondie de la cabine de Dian Fossey. On y découvrit un testa-ment où elle demandait à être enterrée à Karisoke, aux côtés de Digit, un gorille qu'elle aimait particulièrement et qui avait été sauvagement tué par les braconniers. Sa dépouille, qui venait d'être acheminée vers Kigali, fut alors rapportée au camp. Jean se rappelle avoir aidé l'amie de Dian Fossey, Ruth Keesling, à placer la croix sur la tombe.

Au cours des jours qui suivirent, un fonctionnaire de l'ambassade des États-Unis vint au centre de Karisoke au moins trois fois pour s'entretenir seul à seul avec McGuire. Après sa dernière visite, McGuire donna la clé de sa cabane à Jean en lui disant qu'il se rendait à Kigali. Jean ne l'a plus jamais revu. Il a été rapatrié aux États-Unis. Depuis, certains le soupçonnent d'être l'assassin de la chercheuse, car on a trouvé dans la main de Dian des cheveux qui ne pouvaient avoir appartenu qu'à un homme blanc, et McGuire était le seul Blanc présent au camp ce jour-là.

Deux agents de Karisoke que Dian Fossey avait chassés pour indiscipline dans les jours qui avaient précédé son assassinat furent ensuite arrêtés : Faustin Barabwiriza et Emmanuel Rwerekana. Barabwiriza a été relâché quelques semaines plus tard, mais Rwerekana s'est suicidé en prison. On ne saura jamais pourquoi il n'y a pas eu de procès.

## Enfin chercheur !

Cette période compliquée où je tentais tant bien que mal (plutôt mal que bien, d'ailleurs) de m'intégrer aux équipes de chercheurs ne devait heureusement pas durer très longtemps. Vers le mois d'août 1990, Diane Doran me recommanda à un professeur américain du nom de Taylor, géographe de formation, venu faire des recherches sur la régénération des bambous et des *Hagenia abyssinica* au parc national des Volcans. Taylor était un homme plutôt froid mais attentif et intelligent. Il devait m'expliquer l'objet de ses recherches, puis me laisser les mener sur le terrain pendant son séjour aux États-Unis. Je passais beaucoup de temps avec lui à apprendre comment collecter puis analyser les données recueillies. J'étais ravi. Ensemble, nous placions des rubans fluorescents sur nos échantillons pour pouvoir les reconnaître. Nous passions la journée à parcourir ces terrains, cherchant à vérifier l'hypothèse selon laquelle ces deux plantes ne se régénéraient pas comme il le fallait. Comme une grande partie du monde scientifique, Taylor était critique à l'égard du fonctionnement de Karisoke, qui, pour lui, consacrait trop d'attention et de ressources à la seule étude du comportement des gorilles, sans se préoccuper de leur protection. Je ne comprenais alors pas bien son point de vue, mais ne m'en souciais guère. Je n'avais qu'un but : être accepté comme chercheur, et rester à ses côtés pouvait m'y aider. Ce n'est que bien plus tard que je vis combien il avait raison. Il disait par exemple qu'il fallait, avant toute autre démarche, et plutôt que de diaboliser les braconniers, comprendre comment vivaient les populations voisines du parc. Il faisait remarquer, par exemple, que, même si les gorilles des Volcans étaient menacés par le braconnage, ils n'étaient pas tués pour être mangés, la culture rwandaise interdisant de consommer de la viande de singe. Il fallait donc d'abord comprendre et intégrer les caractéristiques et la finalité de ce que l'on voulait éradiquer – ce que, selon lui, Dian Fossey avait négligé de faire.

J'avais enfin le sentiment que je touchais à ce que je voulais faire. Il m'avait fallu arriver à l'âge de trente-cinq ans pour être à ma place, mais j'y étais. Pourtant, mon euphorie allait être de courte durée. Le 1$^{er}$ octobre 1990, la guerre éclata. Deux jours plus tard, je fus arrêté et torturé par mes collègues de travail, puis conduit à la prison de Ruhengeri.

## Dans la prison mouroir de Ruhengeri

La journée du 3 octobre 1990 avait mal commencé. Depuis le matin, j'avais senti la tension monter. J'essayais de masquer mon inquiétude, mais je sentais les regards de mes collègues sur moi. Depuis trois jours, le FPR avait lancé une offensive, et tout le parc bruissait de rumeurs anti-Tutsis. Je le sentais, je le savais. Aussi ne fus-je pas surpris quand, alors que je m'étais allongé, en fin d'après-midi, mon fils Angelo vint me dire qu'un policier m'attendait.

« Papa, il y a quelqu'un avec un fusil qui est là pour toi… »

Je me levai, le poids du monde sur les épaules. J'ai mis un pull chaud, essayé de prendre un air dégagé pour rassurer ma femme et mes enfants. Jeanne Francine m'avait ouvert une bouteille de bière. J'ai demandé au policier de me laisser la finir, j'ai bu longuement au goulot, puis j'ai embrassé ma femme et mes deux enfants. Je ne savais pas où je partais, encore moins pour combien de temps. En fait, sans oser me l'avouer, je n'étais même pas sûr de les revoir un jour.

« Avancez », me somma le policier, sans méchanceté. Il exécutait les ordres, c'est tout. Je lui posais des questions mais il ne répondait pas. J'ai cru un moment que son silence voulait dire qu'on allait m'exécuter là, tout de suite, sans sommation. Mais ce n'était même pas ça : indifférent, il faisait simplement son travail, sans se poser de questions.

Je fus conduit à la prison de la commune de Kinigi et jeté en cellule. C'était sombre, petit, mais moins sale que ce que j'allais connaître par la suite. D'autres hommes se trouvaient déjà là. Je clignais des yeux plusieurs fois avant d'arriver à distinguer leurs visages.

« Qui es-tu, toi ? »

Je le leur dis. Eux étaient des Bagogwe, un groupe tutsi qui devait plus tard être systématiquement exterminé par l'armée et la police du gouvernement Habyarimana, entre 1991 et 1993, peu avant le génocide de 1994.

« Je crois qu'ils raflent tous les Tutsis des environs du parc », soufflèrent-ils.

Ils se connaissaient entre eux, mais n'étaient guère bavards. Nous étions isolés dans nos pensées, ruminions les mêmes idées noires. Le sommeil m'a pris, dans un mélange d'odeurs humaines et de ronflements. Les visages de Jeanne Francine et de mes enfants ne cessaient de défiler devant mes yeux. Au matin, je crus que le cauchemar allait se terminer. On m'appela dehors. Je sortis. La lumière me fit mal aux yeux, mais je distinguai vite un officier de l'armée : « Vous avez été arrêté par erreur, me dit-il. Vous pouvez rentrer chez vous. » La joie m'envahit. Je dois avouer que je n'eus pas une seule pensée pour mes compagnons de détention, tant j'étais heureux d'être sauvé. Ma félicité ne dura pourtant que peu. Le policier qui m'avait arrêté la veille fut cette fois plus disert. « On te relâche pour mieux te surveiller, me dit-il. Tu reviendras vite parmi nous. » Je pris cela pour une fanfaronnade.

De la prison communale, je me rendis directement au siège du parc : à pied, j'en avais à peine pour une demi-heure. Je voulais récupérer mon dernier salaire au cas où je serais de nouveau arrêté, pour le laisser à ma famille. Et je préférais de toute façon rester quelque moment dans un lieu public et faire comme si de rien n'était pour éviter toute rumeur sur mon comportement.

Ce fut une effroyable erreur. En arrivant, je vis mes collègues réunis. Le directeur du parc était là lui aussi. Le chef des gardes, Bonaventure Uwimana, s'avança et me sauta dessus pour me frapper en pleine face. Mes lunettes tombèrent. Je fus d'un coup plongé dans le flou. Les autres s'approchèrent. Je tombai par terre et les coups plurent de tous côtés, assenés par ceux avec qui je travaillais tous les jours. Le directeur ne bougea pas. Bonaventure, avec qui je n'avais jamais eu de conflit particulier, m'attrapa par les bras et me traîna jusqu'à la voiture de service. Du sang ruisselait de mon visage. À plusieurs, ils me jetèrent à l'arrière de la voiture et démarrèrent.

« Tu fais moins le malin, sale cafard », entendis-je, sans identifier de qui venaient les insultes.

En route, nous tombâmes sur un barrage militaire. Du fond de la voiture, j'entendis Bonaventure Uwimana dire aux soldats qu'ils venaient de m'arrêter à la frontière avec une camionnette pleine de sacs de riz que je transportais pour ravitailler le FPR. Où était la camionnette, où était le riz ? Je me dis que leur mensonge était tellement facile à démonter que tout cela allait prendre fin. Pas du tout : les soldats me firent descendre de la voiture. À peine étais-je debout qu'un coup de crosse me rejeta à terre. J'en pris plusieurs, sur le visage, dans le dos. Deux soldats m'attrapèrent et me traînèrent plus qu'ils ne me portèrent. Je distinguai à travers la brume et la douleur une bâtisse difforme, traversée en longueur par un corridor mal éclairé. C'était le cachot des hommes. Je répondis à quelques hâtives questions posées par le commandant de la gendarmerie et j'y fus jeté.

Le cachot était bondé. Malgré la fraîcheur du climat – Ruhengeri se situe à deux mille mètres d'altitude –, nous étions comme dans une chaudière, couverts de sueur et puants. Il était difficile de respirer, même si ma grande taille me permettait d'aspirer de l'air au-dessus des autres. Personne ne parlait. Nous nous regardions tous, méfiants, ne sachant qui était avec nous.

J'essayai de faire le vide en moi. Mais le désarroi m'envahissait quand je pensais à l'attitude de mes collègues : comment avaient-ils pu me faire ça ? Pourquoi ces gens avec qui je travaillais en bonne intelligence m'avaient-ils traité ainsi, allant jusqu'à mentir pour mieux se débarrasser de moi ? Où cette haine qui les animait contre ceux de mon groupe ethnique puisait-elle ses racines ?

Je restai seul avec mes questions. Après deux nuits dans le cachot de la brigade, je fus conduit avec les autres à la prison de Ruhengeri. La prison ! J'étais partagé entre le soulagement d'être encore en vie et de ne pas avoir été exécuté, et une angoisse devant ce qui m'attendait d'autant plus intolérable que tout était possible. Rapidement, je me retrouvai dans le quartier réservé aux prisonniers politiques. Les murs autour de nous montaient si haut que le soleil paraissait hors d'atteinte. Et nos regards butaient inlassablement sur eux, barrière infranchissable qui pendant des mois m'interdit de voir l'extérieur.

La prison de Ruhengeri est une masse rectangulaire laide avec des murs de brique cuite. Ironiquement, un hôpital, moderne à l'époque, financé par la coopération française, se dresse juste à côté. La route qui va de Kigali à Gisenyi passe tout près. Les prisonniers étaient logés dans neuf blocs disposés autour d'une grande cour, où les prisonniers de droit commun passaient la journée et où la nourriture était préparée. Les droits communs, loin de se sentir liés à nous par l'enfermement, étaient presque plus haineux encore que ceux qui nous avaient jetés là. Et aucun de nous, les politiques, ne pouvait traverser la cour sans se faire agonir d'injures.

Notre bloc était à l'écart des autres. Nous étions entre trois et quatre cents. Certains étaient libérés quand de nouveaux détenus nous rejoignaient. On avait l'impression d'un vaste fourre-tout de personnes que cette incarcération seule rapprochait. Il y avait des chômeurs, des profs, des chauffeurs, des commerçants, des fermiers, des bergers, un médecin et des cadres. Nous dormions dans un grand dortoir de cent vingt mètres carrés, sur deux bat-flanc en bois superposés. Ce dortoir était séparé par une porte métallique d'une autre pièce de soixante mètres carrés où nous passions la journée et d'une petite cour intérieure. Dans cette cour il y avait une douche et les toilettes, une seule pour trois ou quatre cents personnes, selon l'abondance de la moisson de prisonniers récoltée à travers le pays. Ce fut la première chose difficile : apprendre à déféquer sous le regard des autres. D'autant que cette cour intérieure ne nous était ouverte qu'entre 11 heures et 15 heures, et qu'il nous fallait nous dépêcher. Après des jours d'hésitation, nous acceptâmes de faire nos besoins simultanément à deux ou trois dans un même trou, tellement le temps qui nous était accordé était court. L'intimité est un luxe des temps de paix... Le reste du temps, nous nous soulagions dans un demi-tonneau installé dans le dortoir. Ce demi-tonneau avec lequel nous devions passer la nuit et une partie de la journée nous rappelait en permanence notre déchéance. Torture subtile et quotidienne...

Il y en avait d'autres. Tout aussi quotidiennes, mais moins subtiles. Régulièrement des soldats venaient chercher certains d'entre nous. Quand nous les voyions revenir, ils avaient souvent le corps brisé. Manzi était de ceux-là, et je ne peux oublier sa mort, mort dans laquelle nous avons tous lu notre destin. Comme la plupart d'entre nous, il était soupçonné d'avoir des liens avec le FPR. C'était un grand homme au rire tonitruant, à la conversation intelligente. Un jour, les soldats sont venus le chercher. Il est parti inquiet. Quand on l'a ramené et jeté à terre, il était méconnaissable. Son visage était tuméfié. Ses os paraissaient broyés, et il gémissait dès que nous le touchions. Pendant plusieurs jours, il resta ainsi, parfois inconscient, ne mangeant que du bout des lèvres ce que nous lui apportions. Puis, quand il alla un peu mieux, on revint le chercher et on recommença. Ses tortionnaires utilisaient la crosse des fusils et des cordelettes en nylon. Ils lui fouettaient le corps et les membres. Mais le pire était les décharges électriques. Ils accrochaient deux pinces dentelées, connectées à un courant électrique, aux deux index, au torse, aux bras, aux jambes, aux oreilles et enfin au sexe. Chaque fois, il avait l'impression que son cerveau allait éclater. Il perdait souvent connaissance.

Nous eûmes un jour l'impression qu'on nous le ramenait pour la dernière fois. Il ne pouvait plus se lever. Il respirait difficilement. Un homme s'approcha de lui et récita le De profundis. Nous avions honte. Honte de notre faiblesse, honte de notre impuissance, honte d'assister ainsi, sans réaction, à la mort de l'un des nôtres. Nous étions témoins, et c'était déjà trop. Plus personne n'osait parler face à ce que nous savions être une agonie. Et je lisais dans les regards la peur de mourir qui s'était installée définitivement en chacun de nous. Résignés, nous attendions tous notre tour. J'ai eu la chance que le mien n'arrive jamais.

## Survie dans la prison « spéciale »

Pourtant, la vie continuait. Jour et nuit, je pensais à ma femme et à mes enfants. Ne couraient-ils pas encore plus de risques à l'extérieur que moi dans ma prison ? Ne pas savoir est souvent le pire. Mais comment aurais-je vécu si j'avais appris la vérité ? Mes collègues devenus mes bourreaux s'étaient – je n'en fus informé qu'un an plus tard – d'abord arrêtés chez moi et, furieux de ne pas m'y trouver, avaient battu ma femme au point de la laisser pour morte. Mes deux enfants étaient là, ils avaient assisté au supplice de leur mère.

Aucune nouvelle ne nous parvenait, et notre imagination peignait en noir ce que nous ignorions. Je sombrais dans des moments d'absolue dépression, où je voyais ma famille exterminée. Il nous fallait à tout prix lutter contre cela en tentant de recréer une vie, de nous intéresser à ce que nous pouvions. J'essayais ainsi d'organiser des tournois de jeux de cartes, certains d'entre nous ayant pu en garder avec eux. Je m'assurais que tout le monde buvait régulièrement de l'eau pour combattre l'anémie qui nous menaçait. Nous nous nourrissions essentiellement de bouillie de sorgho, laquelle nous servait aussi d'indicateur sur les combats en cours : quand les forces gouvernementales avaient le vent en poupe sur le front, les rations étaient copieuses et accompagnées de discours triomphants. Dans le cas contraire, nous ne recevions que très peu de nourriture, et les plus fragiles d'entre nous succombaient.

Parfois, l'un ou l'autre craquait. Je me surpris à prier à nouveau. Il y avait parmi nous des pasteurs protestants et adventistes – certains d'ailleurs improvisés –, un prêtre catholique et des musulmans. Quand le prêtre, l'abbé Shariti, fut transféré à Kigali, un animateur catholique se proposa de le remplacer. Il ne savait que réciter le chapelet. Très vite, je trouvai cela insupportable. Je m'insurgeai et suggérai que chacun à son tour les catholiques animent une prière. Et je commençai en amorçant une réflexion sur le sens du « Notre Père qui es aux cieux », particulièrement sur le passage qui dit : « Pardonne-nous nos offenses, comme nous pardonnons aussi à ceux qui nous ont offensés. » J'avouai ma difficulté à prononcer ces mots, j'expliquai ne pas bien comprendre pourquoi le pardon de Dieu devait être accordé en fonction du nôtre envers nos offenseurs. Mon audace fut payante. Une discussion commença, qui dura bien au-delà du temps de la prière. Ce moment devenu ennuyeux et stérile reprit à nos yeux toute sa valeur. Jamais je n'ai autant prié qu'en prison. Je n'étais pas le seul. Au fur et à mesure que notre détention se prolongeait, le nombre des orants augmentait, et, au quatrième mois de prison, nous étions presque tous présents au moment du culte, agenouillés. Ces prières quotidiennes maintenaient en nous un optimisme salvateur. La ferveur a disparu après la libération. Comme si la croyance en Dieu était proportionnelle à la détresse...

Un jour, un gardien cria mon nom. Je me précipitai, le cœur battant. Nous n'avions que de rares visites. Mais cette fois ? Serait-ce Jeanne Francine ? J'arrivai au parloir fou d'espoir. Ce n'était pas elle, mais Diane Doran, la directrice du centre de recherche de Karisoke. Elle m'a observé avec une curiosité presque gênante avant de me tendre un colis d'habits. J'appris plus tard qu'elle avait été horrifiée par mon amaigrissement. Mais je m'en moquais : j'eus envie de lui sauter au cou quand elle m'annonça qu'elle et ses amis venaient de déplacer Jeanne Francine et les enfants de Kinigi vers Kigali, où ils avaient rejoint mon frère Charles Kayigamba.

Je ne me rappelle plus comment nous nous sommes séparés, tellement j'étais rempli de joie et libéré du fardeau que je portais depuis plusieurs mois. Soudain, je ne pensais plus à ce qui pouvait m'attendre mais laissais libre cours à mes projets les plus fous. Notre force de survie est étonnante.

## Bourreau ou victime ?

Il y avait, enfermés avec nous, des gens de tous horizons. Les Tutsis étaient bien sûr la majorité, mais il y avait aussi des Hutus. Ils venaient d'ailleurs de Ruhengeri et de Gisenyi, les deux villes les plus proches, privilégiées par le régime au pouvoir et dont les habitants se considéraient comme les seuls « vrais » Hutus. Le pouvoir de Habyarimana encourageait les gens de sa région dans la voie de ce « hutisme pur ». Il y avait aussi deux officiers supérieurs de l'armée gouvernementale, les majors Mutambuka et Sabakunzi, et le fils d'un commerçant prospère, Froduald Karamira, qui allait ensuite se distinguer par des discours incendiaires anti-Tutsis au sein du « Hutu Power », dans les années qui ont immédiatement précédé le génocide. Par eux, je touchais encore mieux du doigt la bêtise candide de la haine contre les Tutsis. L'un de ces officiers nous dit un jour que depuis son enfance, sans jamais se poser de questions, il avait considéré les Tutsis comme des victimes virtuelles devant subir les assauts des extrémistes hutus chaque fois que le pouvoir le voulait. Et ce qui le choquait dans sa position actuelle était moins le fait d'être emprisonné que de l'être avec ces Tutsis qu'il avait toujours détestés.

« Cela devrait vous amener à réfléchir ? » lui suggéra quelqu'un.

Il lui lança un regard noir.

« Au contraire. Je vous déteste encore plus. »

La tension monta d'un cran, et nous sentîmes la bagarre proche. Mais chacun savait que nous serions tous punis si l'un d'entre nous se comportait mal.

Les poings retombèrent. Qu'il soit comme nous soumis à l'arbitraire et privé de ses droits, bafoué et emprisonné, ne suffisait pas à faire que cet homme renonce à la haine absurde qui fondait le régime dont il était lui aussi victime.

Je retrouverais cette incompréhensible attitude chez les bourreaux du génocide en assistant, un jour, à une séance des « tribunaux Gacaca[3] ». Ce jour-là, un agronome de ma commune, que je connaissais bien, était accusé d'avoir dirigé des groupes de jeunes bourreaux pour traquer et tuer les Tutsis. Niant à peine, il rétorquait cyniquement que sa profession voulait qu'il fût accompagné partout de groupes de jeunes qui voulaient être formés aux techniques agricoles, et que ce qui s'était passé était normal. Il n'éprouvait manifestement aucun remords, arrivé à un point d'endurcissement de la conscience tel qu'on pouvait se demander s'il lui restait encore la moindre conscience du bien et du mal.

Il y avait heureusement des compagnons de détention plus ouverts que notre major. Toute la journée, nous écoutions la radio nationale, qui était diffusée dans les salles communes. Et nous parlions de ce que nous entendions. Nous étions tous, de fait et par notre situation, devenus des admirateurs du FPR, et nous tentions d'isoler dans le flot d'informations dont nous étions abreuvés ce qui n'était que pure propagande du gouvernement.

Les projets les plus fous nous venaient. Il fallait bien entretenir l'espoir, et, paradoxalement, notre situation nous autorisait tous les délires, tous les rêves... C'est ainsi que je finalisai un projet de collaboration entre l'université nationale du Rwanda (UNR) et le parc national des Volcans, afin que des étudiants fassent des stages au parc dans le cadre de leurs cours de biologie et de sociologie. J'en discutai longuement avec le frère Jean-Damascène Ndayambaje, professeur de psychologie à l'université, emprisonné à mes côtés. Nous sommes convenus qu'une fois sortis de prison chacun présenterait le projet à ses supérieurs hiérarchiques. Je me voyais déjà dans le parc en train d'encadrer ces jeunes et leur insuffler le goût de la protection de la faune et de la flore. Les commerçants faisaient des projets d'association et promettaient des emplois aux plus jeunes. Je ne sais ce qu'il est advenu de leurs entreprises, mais le projet de partenariat entre mon organisation et l'UNR vit finalement le jour... vingt ans plus tard !

Le 23 janvier 1991, quatre semaines après la mort de Manzi, un corps d'élite de l'APR (armée patriotique rwandaise) attaqua la prison et nous libéra.

## *Le raid du FPR*

Radio Rwanda commençait ses émissions à 5 heures du matin. C'est elle qui nous réveillait. Ce jour-là, à peine l'hymne national fini, nous crûmes entendre des coups de feu au loin. Nous nous regardâmes, perplexes. Soudain, ce fut l'enfer : des tonnerres d'explosions, le bruit d'armes lourdes, emplirent notre espace. Nous nous jetâmes à terre ; beaucoup prièrent. Aux prêches de pasteurs protestants et adventistes se mêlait la récitation des chapelets par des catholiques. Les musulmans se prosternaient et je surpris un vieil animiste ougandais appelant au secours les mânes de ses ancêtres. Nous savions que les militaires gouvernementaux avaient installé des armes lourdes sur le mont Nyamagumba, la colline surplombant la prison, et n'imaginions pas que le FPR ait pu arriver à la prison sans qu'elles aient d'abord été retournées contre nous. Nous suivions les bruits sans avoir d'autres sources d'information, tentant de déterminer au crachotement des armes quelles étaient les troupes qui risquaient de l'emporter. Brusquement, le crépitement des armes légères se rapprocha de plus en plus alors que le tonnerre des armes lourdes diminuait d'intensité. Nous attendîmes que les soldats des FAR viennent nous massacrer. Les prisonniers de droit commun se mirent soudain à crier de joie et, connaissant leurs sentiments à notre égard, plusieurs d'entre nous tombèrent à genoux.

Nous entendions les portes de la prison tomber les unes après les autres. Les pas se rapprochaient de la nôtre. Des coups y furent donnés. Dans un craquement de bois, elle s'effondra. Un soldat sauta dans la pièce et nous ordonna de sortir. Un silence de mort régnait parmi nous. Personne n'osait franchir le seuil. Un médecin de Ruhengeri emprisonné avec nous, le docteur Charles Rudakubana, osa pourtant faire le premier pas, et nous le suivîmes, d'abord hésitants puis, comprenant que rien ne se passait et que la liberté était à portée de main, en nous bousculant et nous piétinant. Une marée humaine se déversa dans Ruhengeri. Nous nous embrassions, nous pleurions. Quand je sortis, la lumière me brûla les yeux.

La joie fut vite tempérée par la peur de ce qui allait suivre. Beaucoup, surtout les militaires enfermés avec nous, choisirent de fuir, passant devant les hommes du FPR indifférents. Les habitants de Ruhengeri commençaient à paniquer et à se barricader chez eux. La peur des représailles s'emparait de tous, et l'on voyait même des gens entasser leurs biens dans des charrettes pour partir le plus loin possible. L'attaque de ce bastion du « hutisme pur » était un coup très rude porté au régime du général Habyarimana.

Je ne savais moi non plus que faire. La griserie de me sentir libre une fois dissipée, je me demandai si je devais partir, au risque d'être rattrapé et de tomber sur des militaires qui nous abattraient, ou si je devais rester avec les rebelles victorieux et attendre. Je m'approchai d'un homme en treillis, et lui demandai :

« Nous, les prisonniers, que devons-nous faire ? »

Il me regarda, l'air un peu absent. Puis, avec nonchalance, tendit la main vers la chaîne des volcans qui domine la ville.

« Nous allons retourner dans le maquis, là, dans le parc des Volcans. Ceux qui veulent nous suivre peuvent le faire. »

Je n'hésitai pas une seconde et suivis la colonne quand elle repartit. La plupart de ceux qui avaient choisi la fuite furent en effet vite rattrapés et emprisonnés de nouveau, parfois même abattus par les troupes gouvernementales. Avec d'autres, je me glissai dans la masse, ignorant encore que je venais de donner une nouvelle orientation à ma vie. Nous nous ébranlâmes. Il fallait suivre le rythme des soldats, ce qui, affaiblis comme nous l'étions, n'était pas facile. Je connaissais déjà les pentes de ce parc des Volcans et j'allais, dans les années à venir, les parcourir de nombreuses fois, mais cela ne devait plus jamais me paraître aussi difficile que cette fois-ci.

Au bout d'une demi-heure, mon compagnon le plus proche me prit le bras : « Regarde ! » Je reconnus le major Théoneste Lizinde. Il avait été chef du service national de renseignements, le Rwasur, et traînait dans son sillage une légende noire, faite de tortures et de cruauté. Je ne remarquai que son visage massif et des lunettes attestant une myopie très prononcée. À côté de lui se trouvait l'un des officiers qui allaient devenir célèbres au sein des Inkotanyi à la suite du succès de ce raid : le commandant Védaste Kayitare. C'était le chef de l'opération commando qui nous avait délivrés. Je l'ai longuement observé pendant que je marchais derrière son petit groupe. Il était jeune, portait une fine moustache et marchait difficilement. Il ne portait pas d'arme, ce qui – j'allais l'apprendre plus tard – n'avait rien d'exceptionnel : les « commandants » du FPR préféraient, pour se protéger, s'entourer d'une escorte de jeunes soldats dont le nombre augmentait en fonction du rang de l'officier. Kayitare nous inspira instantanément confiance par sa simplicité.

Nous poursuivions notre montée vers les volcans. Du moins, ceux qui le pouvaient encore. Je vis plusieurs de mes camarades pâlir puis s'arrêter, épuisés, et entreprendre la redescente vers la ville et ses dangers. « Je n'en peux plus, Eugène, c'est trop dur. » Nous nous disions adieu, conscients les uns comme les autres que nous ne nous reverrions peut-être jamais. Les premiers rayons du soleil levant peignaient en rouge les montagnes émergeant de la brume. Ce soleil qui réchauffait un peu nos os transis nous donna une telle énergie qu'il devint plus aisé de suivre les pas rapides de nos libérateurs sur cette montée harassante. Nous pénétrâmes bientôt dans les profondeurs de la forêt, sur une piste sinuant entre les monts Gahinga et Sabyinyo. De loin, à travers le feuillage des bambous, on dominait les lacs Burera et Ruhondo. Cela faisait quatre mois que je n'avais pas vu la nature. Aux odeurs et aux couleurs, aux cris des touracos, les larmes me montèrent aux yeux.

## Séjour en zone rebelle

Nous marchâmes jusqu'au début de l'après-midi. Mes pieds s'étaient couverts d'ampoules et saignaient. J'avais mal à chaque pas, mais sentais bien qu'il n'était pas question de ralentir la colonne. Nous n'étions plus que quelques prisonniers à suivre ainsi le commandant. Enfin, nous parvînmes au point où de nouveaux rebelles nous attendaient avec des victuailles. Je sentis avec un bonheur rarement éprouvé l'eau fraîche couler dans ma gorge. Les hommes qui nous attendaient avaient l'air reposés et en forme ; ils nous regardaient avec bienveillance. Il y avait même une femme avec eux, en uniforme de treillis elle aussi. Je la regardai, un peu étonné. Elle était jolie et me sourit. Elle s'appelait Lydia Bagwaneza et allait quelque temps plus tard épouser mon beau-frère. Nous ne repartîmes qu'à la tombée de la nuit.

J'eus très vite l'impression que je connaissais mieux le parc que nos guides, qui tournaient en rond, nous faisant passer des heures sous le couvert des bambous alors qu'une piste beaucoup plus rapide nous aurait vite menés en Ouganda. Nous commencions à fatiguer quand nous arrivâmes dans une petite clairière où nous nous reposâmes jusqu'à l'aube. Au petit matin, le major Théoneste Lizinde est venu prier Dieu pour notre libération et nos libérateurs. Puis le gros du groupe fut orienté vers un site dissimulé par le flanc du volcan Gahinga. Le choix de ce lieu était stratégique. Dès le lendemain, en effet, des obus tirés par l'armée gouvernementale rwandaise ont commencé à pleuvoir de part et d'autre de notre emplacement.

Nous apprîmes la vie des guérilleros. La plupart d'entre eux avaient faim. Leurs visages émaciés, leur maigreur, le prouvaient, et nous sentions en partageant leurs repas frugaux qu'ils faisaient le maximum pour s'occuper de nous. Nous dûmes prendre de nombreuses précautions : ne jamais faire de feu, ne pas se laver dans les cours d'eau pour éviter que les traces de savon ne signalent notre présence aux soldats cachés en aval... Toute la journée, nous coupions et entassions des troncs de bambous secs pour la cuisine du soir. De temps en temps, des combattants du FPR passaient aux environs de notre campement, mais en général nous les voyions peu. L'infirmerie était installée près de nous, et j'y retrouvais des gens que j'avais connus avant, dont mon beau-frère, Jean-Jacques Kamere, peu de temps avant qu'il ne soit tué au combat. Jean-Jacques m'impressionna par son courage. Même blessé, il lui tardait de quitter l'infirmerie pour retourner au front.

Je me rapprochai d'un officier de renseignements qui m'avait pris en amitié – une amitié qui dure encore aujourd'hui. Stephen Rwabika est actuellement major dans l'armée rwandaise. Le soir, pendant que les autres préparaient le repas, il m'appelait dans sa tente pour écouter les émissions de Radio Rwanda et discuter de la vie du pays. Je sentais en parlant avec lui combien cette existence en pleine nature, coupé de tous, sans véritable échange intellectuel, lui pesait. Il avait une soif intense de mieux connaître le Rwanda, ce pays qui était le sien et où il n'avait jamais encore mis les pieds, étant né en exil de parents réfugiés. Avec lui, nous parlâmes beaucoup des gorilles et de l'intérêt de la conservation, ce qui me permit aussi de mettre au clair ce que je pensais. Dans sa tente, je vis passer la plupart des officiers supérieurs de l'armée patriotique rwandaise (APR). J'y appris aussi la mort de Fred Rwigema, véritable légende de l'APR, dont le décès avait été tenu plus ou moins secret.

Ces soirées étaient gaies. Le waragi, une liqueur fabriquée en Ouganda, y tournait beaucoup, et j'aimais comme les autres à en sentir le feu. Les hommes racontaient beaucoup leurs batailles passées : certains s'étaient même battus dans le nord de l'Ouganda contre les armées de la sorcière Alice Lakwena, cette prophétesse qui se disait le médium d'un esprit chrétien. Prétendant que ses soldats étaient immunisés contre les balles, elle réunit une troupe nombreuse qui menaça le gouvernement ougandais.

Le problème de ce que nous allions devenir se posa avec de plus en plus d'acuité.

« Pourquoi ne resterais-tu pas avec nous ? » J'étais dans la tente de Stephen quand il me posa franchement la question. Notre séjour dans le maquis se prolongeait, et il devenait évident que cela ne pouvait durer. Je fus tenté d'accepter. Il y avait parmi ces hommes une foi, l'envie d'un monde différent, le désir d'aller au-delà de la haine et des conflits ethniques, qui ne pouvaient que me séduire. Mais mon corps me contraint de choisir une autre voie. Une épidémie de dysenterie ravagea les troupes, et j'en fus moi-même victime. Les conditions alimentaires et sanitaires rendaient les soins difficiles, et nombre d'entre nous mouraient. Je ne parvins à tenir que grâce à une tasse de lait que Stephen m'apportait chaque jour et aux médicaments que mon neveu, le docteur Charles Furaha, également réfugié, m'administrait.

Une autre semaine s'écoula. Cela faisait dix-huit jours que nous étions là, et le FPR jugeait que ceux qui voulaient rejoindre son armée avaient eu le temps de se faire une idée de ce qui les attendait. Il était temps de se décider. Je ne pouvais malheureusement que me faire évacuer. Alors que les volontaires regagnaient les camps d'entraînement de la guérilla, je fus conduit avec d'autres au camp de réfugiés de la ville ougandaise de Kisoro, où je fus immédiatement admis à l'hôpital.

## Les bons Samaritains

Je suis arrivé à l'hôpital complètement épuisé. J'ai donné mon dernier trésor, ma montre, à un garde-malade pour qu'il prenne soin de moi, avant de sombrer tout de suite dans un sommeil sans rêves. À mon réveil, des membres du HCR étaient présents. Le responsable de l'équipe voulait à tout prix m'emmener au camp de réfugiés de Nakivala, à trois cents kilomètres de là. Je me sentais incapable d'affronter le long trajet en camion. Il insista. Moi aussi : je voulais rester à l'hôpital et n'en sortir que lorsque je me sentirais mieux. J'obtins gain de cause. Mais il partit avec mon garde-malade, celui que je venais d'« acheter » avec ma montre, et je me retrouvai seul.

Dès le premier jour, je me rendis compte de ma faiblesse : pour parcourir les trente mètres entre mon lit et les toilettes, il me fallait plusieurs minutes, et j'y arrivais épuisé. Heureusement, on s'occupa de moi. Une garde-malade récupérait la maigre ration de nourriture crue que l'on nous distribuait et me la faisait cuire. Quelques réfugiés rwandais, qui vivaient dans les environs de l'hôpital et venaient rendre visite à leurs compatriotes, passaient également me voir. Je sympathisai avec une de ces familles. Elle vivait à Bunagana, tout près de la frontière avec le Zaïre. Mwalimu Kayijuka, son chef, m'invita à passer ma convalescence chez lui. C'était un musulman qui vivait avec sa première femme et leur fille, Cyiza.

Je repris des forces, fus de nouveau en mesure de marcher et de me déplacer sans fatigue. Un médecin me fit comprendre que j'allais devoir céder ma place à de nouveaux arrivants. Ma prochaine destination serait donc le camp de réfugiés. Mais je ne voulais pas y aller : je me sentais encore trop malade. Une nuit, je décidai de partir. Je réunis mes modestes affaires et sortis, sans que personne fasse attention à moi, pour me rendre directement chez les Kayijuka. Il y avait huit kilomètres que je mis plus de dix heures à parcourir. Mes hôtes m'ont recueilli et m'ont immédiatement entouré de soins. J'ai retrouvé auprès d'eux l'évidence d'une générosité franche, spontanée, sincère. Après avoir côtoyé, en prison, les côtés les plus noirs de l'âme humaine, je passai là trois mois qui, certes, me permirent de me remettre sur pied physiquement, mais qui surtout me firent reprendre confiance en l'homme. Dans cette petite maison, entre l'attention et la tendresse de Mama Ali et de Cyiza, j'oubliai toute idée de revanche.

Bunagana, malgré sa petite taille, était en ébullition permanente. Les troupes du FPR étaient basées tout près, et chaque soir les jeunes de la place transportaient les aliments que la diaspora rwandaise des environs avait réunis pour ravitailler les combattants. Certains blessés y étaient soignés, notamment chez Hadji Siraji Ndangiza, un notable aussi fameux que généreux. De nouvelles recrues en provenance du Zaïre y étaient acheminées certaines nuits. Il y avait là une communauté soudée, une générosité palpable et un sens de l'autre que j'avais perdus de vue.

Après trois mois de convalescence, j'ai trouvé un moyen pour me rendre au Burundi en passant par Goma et Bukavu, au Zaïre. Dès que j'ai pu décrocher un travail – j'ai obtenu un poste d'enseignant au Burundi –, je suis revenu à Bukavu, où une partie de ma famille était installée. Je n'avais plus qu'un rêve : après quatorze mois de séparation, pouvoir enfin serrer à nouveau contre moi ma femme et mes enfants.

## Retrouvailles et quatrième exil

Il fallait que je les fasse sortir du Rwanda. L'idée tournait à l'obsession. J'élaborais des plans toute la journée, mettant à contribution ma famille restée sur place. Je ne savais comment tromper le temps, tournais en rond toute la journée. J'avais peur de tout : qu'il leur soit arrivé quelque chose, que Jeanne Francine ne veuille plus me voir, que mes enfants aient été blessés et que personne n'ait osé me le dire…

Tout me paraissait terriblement lent. Le passage de la frontière à Cyangugu était très surveillé, surtout du côté rwandais. Parfois, je marchais de Bukavu jusqu'aux bords de la Rusizi, cette rivière qui avait tant compté pour moi. Et j'attendais là, au risque de me faire remarquer. Un jour, enfin, l'une de mes nièces vint m'arracher à mes ruminations.

« Ça y est, ta femme et tes enfants arrivent. Ils ont quitté Kigali, et ils seront bientôt à Cyangugu. »

J'avais du mal à y croire. Savoir qu'ils étaient là, à quelques kilomètres de moi, et sans doute bientôt dans mes bras, me remplissait d'une joie aussi brutale qu'inquiète. Mais mon allégresse retomba vite quand j'appris qu'ils ne pourraient pas passer le lendemain. Ces dernières heures me paraissaient les plus longues... Je ne dormis pas, revoyant comme un long film tout ce qui s'était passé depuis mon arrestation. Dans quel état allais-je les retrouver ?

Le lendemain, je marchai longtemps, presque comme un automate, et, le soir, tombai, écrasé de fatigue. Mais, à 2 heures du matin, j'étais de nouveau éveillé sans plus pouvoir trouver le sommeil. Au petit matin, je me suis levé, ai pris un bain froid, puis une tasse de café brûlant. J'ai erré dans les rues de Bukavu pour tromper l'impatience. Quand je suis revenu chez mes nièces, Angelo et Joëlle étaient en train de jouer.

Je suis resté saisi un bref instant, et je les ai contemplés. J'avais peur de ne pas savoir maîtriser mon émotion, j'essayai de me calmer. Puis ils se sont retournés, brusquement, comme s'ils avaient su que j'étais là. D'un bond, Joëlle m'a sauté au cou. Angelo a fait de même. Je basculai presque sous leur poids, sentant leur chaleur contre mon corps. Pendant un long moment, nous ne dîmes rien, ni les uns ni les autres. Je les posai au sol en les dévorant des yeux. Puis nous nous dirigeâmes vers la maison de mes nièces, où j'espérais retrouver Jeanne Francine.

Elle n'était pas là. Une main de glace m'étreignit. Les passeurs avaient préféré les faire traverser séparément pour plus de sécurité. Je savais qu'ils avaient raison, mais une rage folle s'empara de moi. J'emmenai les enfants jouer dehors pour éviter de dire à mes nièces des mots aussi définitifs qu'injustes.

Jeanne Francine arriva finalement deux heures plus tard. Le monde reprit sens à mes yeux. J'oubliai tout, les souffrances, les angoisses, les jours perdus, pour ne plus que jouir de ce moment béni. Elle se tenait devant moi, intacte, retrouvée, à moi à nouveau. Et pourtant elle portait le poids de ses souffrances. Je ne l'avais jamais vue aussi maigre. Elle ne devait pas peser plus de quarante-cinq kilos, elle qui en faisait habituellement dix de plus. Sa peau s'était assombrie. Je me rendais compte, même si je n'y étais pour rien, qu'elle avait supporté toute seule le poids de l'insécurité à Kinigi et avait dû batailler pour subvenir aux besoins des enfants et à leur sécurité. Toute la nuit, nous parlâmes, nous contant jusqu'à plus soif les péripéties de notre séparation, nos peurs, nos rêves et nos projets d'avenir.

Je découvris la vie qu'elle avait menée pendant toute cette période, partagé entre la colère et l'admiration. J'appris les sévices que lui avait fait subir Bonaventure Uwimana. J'appris comment elle s'était cachée chez d'autres collègues et comment certains d'entre eux lui avaient trouvé un emploi à Kigali. Là-bas, elle avait travaillé dans un projet de recherche sur le sida dirigé par un professeur de l'université de San Francisco, le docteur Susan Allen.

Le lendemain matin, mon père et ma mère nous ont rejoints à Bukavu pour fêter les retrouvailles. Ce serait notre dernière rencontre : ils allaient être tués pendant le génocide, trois ans plus tard. Nous partîmes ensuite pour le Burundi, où j'avais trouvé un emploi d'enseignant de biologie au lycée de Gitega. Moi et ma famille, que, Dieu soit loué, je n'ai plus jamais quittée depuis.

## CHAPITRE 4

# Le génocide

J'aurais aimé ne pas en arriver à ces lignes, j'aurais voulu les repousser encore et encore pour ne pas avoir à m'y confronter. Il y aura toujours quelque chose de profondément incompréhensible à mes yeux dans ce qui nous est arrivé en avril 1994.

Je ne suis pas à proprement parler un rescapé du génocide, puisque j'ai eu la chance de me trouver à l'étranger quand c'est arrivé. J'étais à Bujumbura et, ironie du sort, en train d'acheter des habits pour mon mariage religieux. Mais j'y ai perdu mes parents, presque tous mes frères et sœurs, des oncles et tantes, des amis... Et, comme ceux qui se sont terrés pendant des semaines, attendant chaque matin le coup de machette du tueur, j'ai du mal à en parler. Beaucoup de survivants restent muets. Le même phénomène s'est rencontré chez les rescapés des camps de concentration nazis : cette incapacité à raconter, tant la sidération est grande. Tout au plus pouvions-nous essayer de nous raccrocher à des explications historiques. Je vais tenter de les donner ici. Mais, bien sûr, elles ne disent pas tout, et leur fausse rationalité n'explique ni à mes yeux, ni aux yeux de ceux qui ont survécu, ce qui s'est passé. Comme le dit mon ami Josias Semujanga, aujourd'hui professeur de littérature au Canada, « cette affaire est la cicatrice qui marquera à jamais notre génération ».

Après les massacres du Burundi, en 1972, un an avant que je ne m'y retrouve exilé, le président Grégoire Kayibanda, dont le pouvoir s'affaiblissait, a tenté de ressusciter l'unité politique du Rwanda contre la « menace » tutsie. Les élèves et professeurs tutsis ont été exclus des collèges rwandais. Des massacres ont eu lieu dans des établissements scolaires – je l'ai raconté –, et ce jusqu'au coup d'État de Juvénal Habyarimana, en juillet 1973. Ce dernier a d'abord joué très habilement la carte de l'apaisement pour séduire les capitales européennes, notamment la France, avec laquelle il a passé des accords de coopération militaire. Le quota qui limitait l'accès des Tutsis aux services administratifs a été renforcé, et seuls certains hommes d'affaires tutsis sont arrivés à le contourner. Des assassinats ponctuels de Tutsis sont restés impunis, ancrant dans la population l'idée que ce n'était finalement pas si grave…

Pourtant, jusqu'à la fin des années 1970, le Rwanda est un modèle de développement en Afrique. Mais la sécheresse et la dégradation de l'environnement entravent ses efforts. L'érosion de collines cultivées jusqu'au sommet, ces collines que l'on voit encore aujourd'hui recouvertes d'un damier de champs, entraîne de nombreux glissements de terrain. À la fin des années 1980, la baisse des cours mondiaux du thé et du café, principales exportations du Rwanda, aggrave la situation. La population augmente très vite, posant un problème démographique qui va justifier le durcissement du régime envers les réfugiés, et les guerres civiles déplacent un million de Rwandais vers des camps situés autour de Kigali, où les jeunes sans avenir viennent grossir les milices.

Les exilés tutsis, de leur côté, ne sont pas restés inactifs. Ils ont toujours eu envie, moi comme les autres, de rentrer. Le FPR est créé, et des combats s'engagent entre ses membres et ceux de l'armée régulière. En réponse, l'idéologie anti-Tutsis reprend de la vigueur. Des théoriciens, des artistes, la défendent : Simon Bikindi chante l'extermination des Tutsis dès la fin des années 1980 ; un journal extrémiste, *Kangura*, créé en décembre 1990, la prône ; et il y a bien sûr la fameuse Radio Mille Collines, qui, à longueur de journée, nous traite de « cafards » et de « cancrelats » à écraser, contribuant à déshumaniser complètement les Tutsis. La France avait, qui plus est, donné son soutien à l'entraînement de l'armée rwandaise, ce qui était très important : des armes ont été livrées jusqu'à la victoire du FPR, armes qui étaient supposées aider les forces officielles à lutter contre les rebelles, mais qui ont servi aux génocidaires.

Or, en 1992, de nombreux Hutus sont assassinés au Burundi, et, en octobre 1993, Melchior Ndadaye, premier président de la République hutu élu démocratiquement, tombe sous les coups d'un tueur lors d'un coup d'État. Cet assassinat est attribué à l'armée burundaise, dirigée par des Tutsis. En répercussion, chez nous, les campagnes anti-Tutsis prennent un nouvel élan : tout était prêt pour de nouvelles tueries. 1992 est une date clé : des massacres ont lieu dans le Bugesera et dans le sud-ouest du pays, au point que la Fédération internationale des droits de l'homme publie en mars 1993 un rapport qui parle ouvertement d'actes de génocide et s'inquiète pour l'avenir. Les milices interahamwe, ouvertes aux jeunes militants du parti présidentiel, le MRND, sont levées. Les discours des médias se font de plus en plus violents. Des détournements de fonds publics financent des dépenses liées à la préparation du génocide.

Tout le monde aurait dû voir ce qui couvait, et cet aveuglement reste à mes yeux inexplicable. L'accord de paix d'Arusha, signé en août 1993, qui prévoyait l'intégration politique et militaire de tous les Rwandais à la vie du pays, resta lettre morte. En octobre 1993, la Minuar, Mission des Nations unies pour l'assistance au Rwanda, fut créée pour superviser l'application de l'accord de cessez-le-feu. Son commandant, le général canadien Dallaire, demanda le droit de pouvoir intervenir, y compris en utilisant la force, en réponse à des crimes contre l'humanité. Ce droit lui fut toujours refusé, même quand il a été prévenu de l'existence de caches d'armes destinées à la population et a appris qu'il était prévu de tuer des casques bleus belges pour les faire partir. Le président Habyarimana, seul interlocuteur de Dallaire, niait toutes les informations alarmistes que celui-ci pouvait avoir. Les violences, pourtant, étaient de plus en plus visibles.

Pendant tout le mois de février, la situation continua de se dégrader. Il y avait chaque jour des manifestations de plus en plus brutales, des attaques à la grenade et des meurtres politiques et ethniques. Les milices armées des différentes parties achevaient de constituer des stocks d'armes et se préparaient à leur distribution. Des listes de civils à assassiner commençaient à circuler.

Le 3 avril 1994, Radio Mille Collines annonce que le 4 et le 5, il va se passer quelque chose à Kigali et qu'il faut être prêt, sans autre précision. Le 6 avril, l'avion du président est abattu par deux missiles. À bord se trouvait aussi le président burundais Cyprien Ntaryamira. C'est le début du génocide. La radio répète la phrase codée : « Abattez les grands arbres. » Aussitôt, les milices interahamwe bloquent les routes, vérifient les cartes d'identité et abattent tous les Tutsis. On tue en ville au fusil et à l'arme blanche. Des miliciens entrent dans les maisons et exécutent tous les Tutsis. Les femmes sont violées, celles qui sont enceintes sont éventrées. Les parents sont coupés en morceaux à la machette devant leurs enfants. Seules, parfois, les petites filles sont épargnées pour servir plus tard d'objets sexuels. Le 7 avril 1994, Agathe Uwilingiyimana, Premier ministre, est assassinée. Le lendemain, les ressortissants belges, français et américains sont évacués. Dans tout le pays, les massacres s'intensifient. Les Tutsis se réfugient dans les églises, lieux généralement respectés. Mais celles-ci sont prises d'assaut, et les gens enfermés y sont tués à coups de gourdin et de machette, systématiquement, comme un champ qu'on fauche. Certains prêtres participent à la tuerie et ouvrent les sanctuaires aux assassins.

Un gouvernement intérimaire est constitué en quelques jours avec les personnalités les plus actives dans la préparation du génocide et dirigé de fait par le colonel Théoneste Bagosora, chef de cabinet au ministère de la Défense, portefeuille détenu par le président Habyarimana lui-même. Les milices interahamwe reçoivent des forces armées rwandaises un soutien logistique et matériel. Tous les jours, à chaque heure, la radio donne des objectifs de massacres précis. Les milices entraînent la population avec elles dans ce « travail collectif » et organisé, de 9 heures du matin environ à 16-17 heures, avec ses temps de repos annoncés par des coups de sifflet. La bière était prévue dans les stocks nationaux pour soutenir les combattants.

Huit cent mille Rwandais, en majorité tutsis, ont trouvé la mort durant ces trois mois. Les Hutus qui se sont montrés solidaires des Tutsis ont été tués comme traîtres. Cela a duré cent jours : ce fut le génocide le plus rapide de l'histoire, celui où on a tué le plus de gens par jour. Dérisoires statistiques... Les bourreaux allaient tuer comme ils allaient au « travail ». Les Tutsis qui s'étaient réfugiés dans les marais ou dans les forêts les entendaient monter le matin. Les plus courageux tentaient de fuir, souvent en vain. Les tueurs débusquaient ceux qui se cachaient, mutilaient, violaient, et parfois, las et le bras fatigué, tuaient mal et ne faisaient que blesser. Ils redescendaient en fin de journée pour se reposer et boire en fêtant leur succès. Et le lendemain, ils remontaient. Jour après jour, à heure fixe, pendant cent jours. Le début et la fin du « travail » étaient sifflés, et ceux qui avaient pu échapper à l'heure de « fermeture », hagards, affamés, savaient alors qu'ils avaient gagné un jour de vie. Les Hutus qui ne voulaient pas participer étaient abattus. Donc tous le faisaient. Ils partaient avec leurs machettes, et rentraient le soir. Si leur machette était immaculée, les Interahamwe les exécutaient à leur tour. Dans certains couples mixtes, on obligea le conjoint hutu à abattre celui qui était tutsi. Les femmes prirent largement part à ces tueries.

Pendant le temps du génocide, qui se déroula au début dans une indifférence internationale absolue, le FPR continua ses offensives sur la capitale. En avril, comme prévu, l'assassinat de dix casques bleus belges amena l'ONU à retirer 90 % des hommes de la Minuar, dont l'impuissance devint presque totale. En juin, avec l'autorisation de l'ONU, la France lança l'opération Turquoise : des soldats français arrivèrent dans le sud-ouest du Rwanda pour établir une zone humanitaire sécuritaire pour les réfugiés. Les massacres de Tutsis continuèrent, même dans la « zone de sécurité ». Ce n'est qu'en juillet que le FPR s'empara de Kigali et forma un gouvernement d'unité nationale. Pasteur Bizimungu, un Hutu du FPR, devint alors chef de l'État. Les leaders hutus et les exécutants du génocide fuirent au Zaïre. Avec Paul Kagame, qui sera plus tard élu chef de l'État, le président Pasteur Bizimungu installa un gouvernement d'unité nationale.

## Le rapatriement de 1994

Les nouvelles du génocide qui nous parvenaient à l'étranger nous atteignaient comme des coups de poignard d'autant plus douloureux que nous étions totalement impuissants. Nous n'avions des informations que très fragmentaires et vivions dans une angoisse permanente. Un coup de téléphone de mon frère Charles Kayigamba, en particulier, m'avait terrifié. Il m'avait lancé ces mots : « Adieu, les miliciens m'attendent à la porte pour me tuer. » Bien sûr, nos vies mêmes n'étaient pas menacées, et il serait indécent de comparer ce que j'ai vécu avec ce qu'ont enduré les Tutsis du Rwanda. Mais ces quelques semaines laissent un souvenir atroce. L'angoisse de ne pas savoir était insoutenable. Des nouvelles souvent fausses couraient, et nous les buvions avec avidité, même si elles ne faisaient qu'ajouter à notre peur. De temps en temps, une certitude nous accablait : la famille de l'un d'entre nous avait été massacrée. Chacun tentait alors avec encore plus d'ardeur de savoir ce qu'il advenait des siens. Et personne ne comprenait comment cela pouvait durer, et comment personne ne réagissait à ce qui se passait quand les témoignages s'accumulaient, tous plus atroces les uns que les autres.

Dès qu'il a été possible de rentrer au Rwanda, je me suis bien évidemment précipité. Je ne savais pas ce que j'allais y trouver. Y avait-il encore des membres de ma famille vivants ? Qu'avaient-ils enduré, et comment en sortiraient-ils ? Serait-il possible à nouveau que quelque chose naisse et croisse dans ces terres baignées de sang ?

Le FPR avait plutôt bien « organisé » ces rapatriements. Les familles pauvres et les veuves partirent en premier. Elles étaient transportées gratuitement vers le Rwanda et installées dans le territoire proche de la frontière du Burundi, déjà conquis et sécurisé par l'APR. Nous autres qui avions un peu d'argent devions nous cotiser pour louer des camions. Je le fis avec d'autres exilés et nous partîmes un matin,

tassés à l'arrière d'un gros pick-up. C'était incon-
fortable, mais je crois que notre impatience à tous
était si grande que personne ne le remarqua. Nous
parlions peu, sachant trop bien que nos angoisses se
feraient écho.

Nous sommes entrés par la frontière sud du
Rwanda, au poste frontière de Gisenyi. Des officiels
du FPR ont examiné nos papiers, de ce geste qui, il
y a encore quelques jours, nous aurait valu une mort
immédiate. Le camion a franchi la frontière. Des
corps étaient encore entassés partout sur le bord des
routes. Dans les champs, dans les rues des villages,
ils pourrissaient. Les fossés, les rivières, charriaient
des victimes, dont certaines avaient été découpées.
Ça et là, un bras, une main, un pied, une tête, avaient
été jetés. Des hordes de chiens traversaient la route,
qui se disputaient ces restes anonymes.

Nous passâmes cette première nuit dans ce qui fut
la maison de province de Kibungo. Mais il nous fallut ensuite nous débrouiller. Beaucoup de maisons
étaient abandonnées. Nous jetâmes notre dévolu
sur une bâtisse de trois ou quatre pièces, devant un
champ non récolté et dont je savais qu'il pourrait
nous nourrir. J'en poussai la porte. Une odeur de
sang séché me prit à la gorge. Nous nettoyâmes la
maison. Mon voisin Antoine trouva la pièce qu'il
voulait occuper pleine d'une dizaine de corps décou-
pés. Il entreprit de les sortir, puis de les enterrer dans
le pré avant de s'installer.

Nous restâmes là quelques jours, sans savoir où nous diriger. Enfin, il parut certain que Kigali était sécurisée et que je pouvais aller y rechercher d'éventuels survivants de ma famille. Je pourrais aussi voir dans quelle mesure il était possible que je m'y réinstalle avec Jeanne Francine et les enfants. Je décidai donc de partir en stop, aucun transport public n'étant rétabli.

Je n'étais pas le seul à avoir eu cette idée, et je vis au bord de la route d'autres exilés de retour qui tendaient le pouce. Quand la première voiture à m'avoir fait faire un bout de chemin me déposa, je tombais sur Védaste Himili, un ancien collègue à l'université du Burundi. Nous nous félicitâmes de cette coïncidence, échangeâmes quelques nouvelles. Il m'apprit qu'il était déjà allé une fois à Kigali, que la ville était encore plongée dans le chaos et encombrée des macabres restes des massacres, mais que l'on pouvait espérer s'y réinstaller assez vite. Et il me dit cette phrase qui me cloua sur place :

« J'ai même aperçu ton frère l'autre jour, ton frère Charles. »

Charles ? Charles qui, la dernière fois qu'il m'avait appelé, m'avait dit que les miliciens l'attendaient ? Charles dont j'avais fait mon deuil ? Je me mis en colère. Nous étions en permanence gavés de fausses informations, lancés sur des pistes qui n'aboutissaient pas, par des témoins tantôt de bonne volonté, tantôt seulement désireux de jouer les importants, et ces permanentes bouffées d'espoir si vite déçues étaient épuisantes.

« Ne me raconte pas de bêtises, Védaste. Mon frère est mort. Je l'ai eu au téléphone juste avant que les tueurs ne le capturent. Personne ne l'a vu depuis. Tu as cru le voir et tu l'as confondu avec quelqu'un d'autre.

– Je t'assure que non. C'était bien lui. Je vais même te dire où je l'ai vu. »

Et il me donna le nom d'un quartier et une adresse. Je fus envahi d'un fol espoir. Une voiture s'arrêta pour nous prendre. Elle allait jusqu'à Kigali. Nous montâmes tous les deux.

« Je vais même t'y amener, Eugène », me proposa mon camarade.

Il me déposa devant une petite maison. Elle était habitée. Le bras tremblant, je frappai à la porte. J'entendis des pas… et Charles m'ouvrit. Je n'en croyais pas mes yeux. Sa survie relevait du miracle. Il fut tout aussi stupéfié que moi, même si lui savait que j'étais en vie. Nous passâmes plusieurs heures à nous raconter ce qui nous était arrivé. Il avait effectivement été arrêté juste après m'avoir téléphoné, et emmené avec sa femme et ses enfants. Pendant trois mois, ils étaient restés enfermés dans une maison voisine d'une barrière de miliciens. Plusieurs fois, on l'avait emmené pour l'exécuter, comme ses compagnons de détention qui, régulièrement, étaient convoqués et que l'on ne revoyait jamais. Mais à chaque fois un officier des FAR était intervenu en sa faveur. Il n'avait jamais su qui c'était ni ce qui lui avait valu cette faveur. Mais le fait était là : il avait survécu.

Ce furent des heures mêlées de joie et de tristesse. Car si j'apprenais que Charles était encore vivant, si j'apprenais aussi que ma sœur Spéciose Mukarusanga, son mari et leurs enfants avaient survécu, je dus affronter le fait que le reste de ma famille, mes deux parents, mes autres frères, beaucoup de mes amis, avaient été massacrés.

Le deuil est un travail difficile, qui a besoin pour se faire de preuves, de lieux, de corps. L'une des horreurs de notre génocide est aussi que, encore aujourd'hui, beaucoup ignorent ce que sont devenus ceux qu'ils aimaient, même quand ils sont certains de leur mort. Des mémoriaux ont été dressés dans tout le pays, certains remplis des ossements anonymes tirés des charniers et des fosses communes. Aussi, après avoir réinstallé ma famille à Kigali dans une maison vide dont le propriétaire revint assez vite, puis dans une autre que nous pûmes louer, me mis-je en devoir de retrouver les corps de mon père et de ma mère.

Il me fallut longtemps pour y parvenir. Nous n'avions pour nous guider dans cette multitude de cadavres non identifiés que le souvenir des voisins, des compagnons de fuite et des autres familles en deuil. Que de fausses pistes, que de faux espoirs ! J'ai dû supplier, aller voir des gens et leur dire : « Je ne dirai rien, je ne parlerai pas de vous, mais montrez-moi simplement où des corps ont été dissimulés. » Après un an d'une quête vaine et souvent décourageante, j'eus enfin un renseignement qui me permit de localiser le corps de mon père. Il avait été enfoui dans des toilettes publiques, parmi les excréments. Il a fallu l'en extraire, identifier ses restes. Ce fut, paradoxalement, un grand moment de joie. Nous avons pu le rapatrier, et il repose aujourd'hui avec les restes de ma mère dans une double tombe. Ils sont l'un à côté de l'autre, face à cette vallée qu'ils ont fait fructifier pendant si longtemps avant d'y être assassinés. Il est exceptionnel que des tombes individuelles aient pu être dressées. La plupart des corps n'ont eu droit qu'à des enterrements collectifs, et le reste de ma famille gît dans des tombes communes, dans des cercueils en bois. Aujourd'hui encore, on retrouve et on tente d'identifier des corps. Je n'ai jamais réussi à localiser les restes de mes deux frères, Étienne et Edmond, ceux-là mêmes que ma mère avait portés sur son dos quand les milices l'emmenaient dans la nuit, en 1964 et 1973. Je ne sais ni comment ni où ils sont morts. Le corps de l'un d'eux, m'a-t-on dit, aurait été, comme beaucoup d'autres, dévoré par des chiens. Les restes d'Étienne, qui avait vingt ans, auraient été dispersés sur le terrain de foot où il avait souvent joué. J'espère encore un jour trouver une piste me menant à eux.

## *Pardonner ?*

Aujourd'hui, il nous faut vivre avec certains de nos bourreaux. C'est difficile. Très difficile. Mais la situation du Rwanda nous y contraint : ceux qui avaient fui étaient les tueurs, et aucun pays ne les aurait accueillis. Il a fallu qu'ils reviennent, et l'exiguïté du Rwanda les a forcés à revenir là où ils avaient vécu, là où ils avaient tué. Il m'a fallu des années pour l'admettre. Je n'ai jamais parlé de ça avec un Hutu. Mais je ne porte pas de sentiment de revanche – pas individuel, du moins. Les tribunaux sont là pour ça. Si je vois un génocidaire, je laisse la justice s'en occuper.

Les familles de bourreaux se protègent et refusent de donner les noms de ceux qui ont tué. La plupart des gens prétendent ne rien savoir. Près de chez nous, un instituteur, un homme cultivé pourtant, avait tué, se « spécialisant » dans les vieilles dames. Un jour, il est revenu, a rassemblé le village et a demandé pardon. Depuis, il vit au même endroit qu'auparavant. Il est en permanence sous le regard des autres, des familles ou des amis de ceux qu'il a tués. Je pense que c'est pire que la prison. Ces gens n'étaient que des outils. Pourquoi leur en vouloir ?

Non loin de chez mes parents, la maison d'un de nos bourreaux est encore debout. Lui a fui après le génocide et s'est réfugié au Zaïre. Son petit frère vit à Nairobi. Quand j'y ai habité, j'ai été amené à le fréquenter, et mes enfants ont joué avec les siens. Cela aurait-il eu un sens de le leur interdire ? En quoi ces enfants sont-ils coupables ? Tous ceux qui ont vécu ce drame doivent aujourd'hui se reconstruire. Ce n'est pas mettre sur le même plan bourreaux et victimes que de le constater. Chacun a la nostalgie du temps où nous vivions ensemble.

Le deuil n'est pas l'oubli, au contraire. Tous les ans, le mois d'avril est dédié au souvenir du génocide. Des commémorations ont lieu dans tout le pays. Les gens portent des foulards et des insignes violets, couleur du souvenir. Certaines maisons sont peintes. Je vais généralement y assister à l'église de Mibilizi, près de ma maison natale. C'est l'église où nous allions enfants, c'est l'église à la sortie de laquelle les Interahamwe nous ont souvent insultés. Là, une cérémonie religieuse a lieu, et des gerbes sont déposées dans les champs où ont eu lieu les massacres. Des Hutus viennent aussi, de ceux qui n'ont pas tué, de ceux qui parfois ont laissé faire, parfois aussi ont pris de vrais risques pour sauver quelques Tutsis. Au cours d'une des premières cérémonies, l'un des tueurs s'est avancé vers moi. J'étais à côté de mon oncle. Il nous a tendu la main. Je l'ai regardé sans le saluer. Mon oncle a pris sa main. Je me suis insurgé, je lui ai demandé : « Mais tu as oublié ce que cet homme a fait ? » Il m'a répondu : « Non, mais je vis avec lui tous les jours. »

Quand je rencontre un tueur, je me demande ce que je gagnerais à me venger, à le tuer à mon tour. Même après mon séjour en prison, je ne me suis pas vengé de ceux qui m'y avaient envoyé. Ceux qui m'avaient battu, encore... Mais les autres, ils ont seulement laissé faire. Toute faute est individuelle. Il faut les punir. Mais ce n'est pas à moi de le faire. Quand je suis revenu au parc, le directeur, qui tenait très fort à me donner des gages, m'a proposé de renvoyer tout le monde comme génocidaire. J'ai refusé, évidemment. Je lui ai dit : « Non, il nous faut du personnel. S'ils n'ont pas commis de faute professionnelle, on les garde. » Dans mes recrutements, le critère de l'ethnie n'intervient pas. Ni dans un sens ni dans l'autre. La justice a travaillé, et elle continue de le faire, au cas par cas. Si l'on devait punir tous les Hutus, cela ferait d'eux des victimes. Comme je l'ai été moi.

Je ne peux, au lieu de théoriser, que raconter ce que j'ai fait avec Bonaventure, l'homme qui m'a fait envoyer en prison. Bonaventure se trouvait au Cameroun pendant le génocide. Quand j'ai su qu'il était revenu et qu'il travaillait dans une ONG, je suis allé voir son employeur. Nous avons longuement discuté, et je lui ai demandé d'organiser une rencontre entre lui et moi. Qu'espérais-je ? J'étais prêt à lui pardonner s'il me le demandait ; mais je voulais qu'il le demande. Le jour dit, j'étais là, un peu troublé. Bonaventure n'est jamais venu. Alors j'ai porté plainte. Il a été jugé et condamné à six mois de prison. L'action est partie de la plainte, mais je n'ai pas voulu aller témoigner. Depuis, il m'arrive de le rencontrer. Nous nous disons bonjour. J'ai raconté cela à ma famille, à qui il s'en était pris encore plus violemment qu'à moi. Ils ne peuvent pas pardonner, mais acceptent la situation. Ils l'ont croisé une fois et se sont détournés de son chemin.

Je crois que le pardon doit répondre à une demande. Si justice est faite, d'accord. Mais pardonner quand l'autre n'a fait aucun geste, je ne peux pas. Laisser tomber, en revanche, est nécessaire. Pas pour lui, mais pour nous : la haine tue. L'entretenir aussi. Certains ne peuvent pas – ou ne veulent pas – revenir là où ils vivaient auparavant. Trop de souvenirs, trop de douleurs... Avec ceux-là, même s'ils sont vivants, les génocidaires ont réussi.

Nous devrions pouvoir parler de tout cela avec nos enfants. Les miens ont connu l'exil et la fuite, ont vu leur mère battue presque à mort par des gens qu'ils connaissaient. En 1999, mon fils Angelo se préparait à aller à l'internat du séminaire de Butare. Il avait alors treize ans. Lors d'un long voyage en voiture, je lui ai demandé s'il savait distinguer parmi mes amis et voisins qui était hutu et qui était tutsi, ce dont nous ne parlons jamais à la maison. Je lui ai donné dix noms : il n'en a identifié que quatre, et certainement par hasard. Je ne lui ai pas dit s'il avait tort ou raison. Mais je lui ai expliqué qu'être hutu ou tutsi n'ajoutait aucune valeur à un être. J'étais satisfait de son ignorance innocente, en espérant qu'elle durerait. Je me trompais. En 2006, Angelo avait vingt ans et sa sœur Joëlle, dix-neuf ans ; ils m'ont demandé si vraiment je croyais que la conduite neutre de notre foyer vis-à-vis de la relation Hutus-Tutsis allait changer la façon dont les autres Rwandais se comportaient sur la question. Ils m'ont appris que sur Internet de jeunes Rwandais, aussi bien de l'intérieur du pays que de la diaspora, échangeaient des insultes qui se référaient régulièrement à leur appartenance ethnique. J'aimerais que cela ne soit pas, ne soit plus. Nous avons déjà payé un prix beaucoup trop élevé à ces illusions.

## CHAPITRE 5

# La conservation sans frontières

*Protéger l'environnement mondial est au-delà des moyens de chaque pays pris à part. Seule une action internationale concertée et coordonnée, soutenue par l'initiative individuelle, sera suffisante.*

Ban Ki-moon, secrétaire général
des Nations unies

## *« Quand on vieillit, on ressemble à l'être qu'on aime »*

Depuis plus d'une heure, j'attendais, assis dans ma voiture, mes doigts martelant sur le volant le rythme d'une chanson qui me trottait dans la tête. C'était au début de 1998. Je faisais le pied de grue à la sortie de Kigali, dans l'attente d'un convoi militaire grâce auquel je pourrais rejoindre Ruhengeri et le parc des Volcans. Il y avait un petit vent frais, et, le moteur arrêté, je grelottais dans mon manteau trop mince, mon sac posé sur le siège à côté de moi.

Je m'étais déjà posté là plusieurs fois pour m'insérer dans les convois accompagnant les agents des Nations unies ou les organisations humanitaires qui jouissaient d'une protection militaire. Nous, organismes de conservation, n'avions pas droit à cette protection, pourtant essentielle à notre travail. La plupart du temps, je suivais un officier supérieur de l'APR. Ils acceptaient sans rechigner, connaissant les risques que nous encourions sans escorte. Depuis quelques mois, sur cette route, les attaques de véhicules par les rebelles de l'ancienne armée et les miliciens interahamwe infiltrés dans le pays à partir de la RDC étaient de plus en plus fréquentes. Ces rebelles brûlaient les véhicules et continuaient de massacrer les Tutsis de façon atroce, fendant les têtes à coups de machette, leur arrachant les membres ou les oreilles, mutilant les femmes en leur coupant les seins avant de les violer et de leur enfoncer des couteaux dans le vagin…

J'essayais de ne pas penser à ces horreurs. Il fallait que j'aille à Ruhengeri : je devais y rencontrer un officier de l'APR qui avait accepté d'intégrer quelques agents du parc dans ses équipes de patrouille afin de pouvoir localiser les groupes de gorilles. Nous devions discuter des modalités pratiques de cette démarche, et je ne voulais lui donner aucun prétexte pour changer d'avis. Depuis plusieurs semaines, tout travail sur le terrain avait dû être stoppé pour des questions de sécurité, et nous n'avions aucune nouvelle des gorilles. Cette possibilité d'aller sur place était unique. Quels que soient les risques, je devais en profiter.

Le premier convoi à passer fut celui du colonel Turagara, un officier supérieur que j'avais rencontré dans la forêt de Nyungwe, où j'étais à nouveau en poste en 1997. Je doutais qu'il se souvienne de moi, mais, quand je lui ai demandé s'il se dirigeait vers le nord, il a acquiescé. Je démarrai à sa suite. À mi-chemin, alors que je me demandais si je pourrais tenir longtemps la vitesse folle du chauffeur du colonel, le convoi bifurqua dans une autre direction que la mienne. Je m'arrêtai, tétanisé : quelques jours auparavant, un autobus public avait été brûlé à l'endroit même où le colonel venait de m'abandonner. Il me restait presque cinquante kilomètres à parcourir. Faire marche arrière n'était pas plus sûr que continuer. Sans réfléchir, j'ai appuyé sur l'accélérateur et me suis lancé à tombeau ouvert, direction le parc des Volcans. Mon imprudence m'accablait : en suivant un convoi dont je ne connaissais pas la destination exacte, j'avais enfreint les règles de sécurité les plus élémentaires dictées par le Programme international de conservation des gorilles (PICG)... et je me retrouvai seul à devoir assumer mon action irréfléchie.

La route était dégagée. Je fonçais. Soudain, j'aperçus une vieille femme qui traversait lentement la route, appuyée sur un bâton, portant sur ses épaules un fagot de bois. Aussitôt me revinrent en mémoire des histoires qui couraient en ville : de vieilles dames, dans ces campagnes, portaient ainsi sur leur tête des grenades, des fusils AK47 ou des munitions ; des soldats rebelles se déguisaient en femmes, faisant semblant de travailler aux champs et mitraillaient les véhicules qui passaient. Je pris peur. Le pas lent de la femme me parut fallacieux, et j'accélérai, klaxonnant à fond. Je frôlai la vieille dame. Son fagot vola en l'air et retomba sur la route. Elle hurla, terrifiée. Je continuai. L'avais-je heurtée ? Elle était debout et je n'avais pas entendu de choc. Dans le rétroviseur, je la vis ramasser son bois éparpillé. J'aurais pu la tuer pour rien, tout comme j'aurais pu être tué. Quand j'arrivai à Ruhengeri, mon cœur battait encore la chamade.

Cette nuit-là, j'ai longuement réfléchi sur la raison qui m'avait poussé à prendre un tel risque. Une force irrésistible avait momentanément annihilé mon instinct de vie. D'où me venait-elle ? C'est mon fils cadet, Martial, qui, plus tard, m'éclaira. « Tu sais, papa, en classe nous avons appris que, quand on vieillit, on ressemble à l'être qu'on aime, me lança-t-il un jour. Toi, quand tu seras vieux, tu ressembleras à un gorille ! » Il me regardait, provocant. Il me reprochait évidemment les longues périodes où je lui manquais. Mais il avait tapé dans le mille : j'aimais les gorilles, je les aimais au point de pouvoir risquer ma vie pour eux…

Je vis depuis plusieurs années dans un paradoxe permanent : comment faire valoir les droits des animaux quand des vies d'hommes sont en danger ? On me reproche souvent une insensibilité qui n'est pas la mienne. « Comment, tu pleures sur des singes ? C'est donc que tu te moques des gens ? » Absurde malentendu. Comme s'il fallait détester les uns pour aimer les autres ! Alors, je le dis haut et fort : oui, le sort des populations exilées et victimes de conflits me révolte ; oui, mon cœur se serre quand il m'arrive de parcourir ces camps improvisés où les hommes sont entassés, de remonter ces files de misérables ayant tout perdu et qui tentent de survivre à l'orée ou à l'intérieur des parcs nationaux. Mais nous formons un tout, nous vivons, hommes et animaux, sur une même terre. Et c'est un fait qu'en cas de conflit armé les préoccupations environnementales sont reléguées au second plan, souvent même totalement oubliées. Qui alors a le plus besoin de nous ? Sans même parler des militaires et des bombardements, les réfugiés et les personnes déplacées massacrent la nature qui les entoure. Ce n'est ni leur faire injure, ni les mépriser, que d'essayer qu'il en soit autrement. Il ne s'agit pas d'opposer animaux et hommes, la survie des exilés et celle des plantes, mais au contraire de les faire tous coexister.

Les animaux aussi sont capables de violence. Mais la leur a une justification. Quand un gorille a douze ou treize ans, il quitte son groupe et part chercher des femelles pour fonder le sien. Il va se battre pendant des années contre des groupes déjà constitués pour y arriver. Quand il trouve une femelle avec un bébé, il lui arrive de les tuer. C'est naturel, cela a à voir avec sa sexualité et son désir d'avoir son propre enfant. Mais nous, nous dominons la nature, elle est à notre merci. Et l'humain ne peut pas prétendre à l'intelligence quand il se comporte lui aussi de la même manière que les bêtes. J'ai vécu des horreurs qui remettent en cause la supériorité de l'être humain. Je n'ai aucun rejet de l'homme, mais je sais dans ma chair ce qu'il est capable de devenir. Je le considère avec une certaine réserve et un certain désabusement.

Au cœur du continent africain, le long des frontières du Rwanda, de l'Ouganda et de la République démocratique du Congo, les derniers gorilles des montagnes ont survécu à plus de vingt années de conflits incessants. Cette région qui est devenue la mienne est régulièrement agitée par des flambées de violence : guerre civile du Rwanda entre 1990 et 1993, génocide des civils tutsis du Rwanda en 1994, guerres du Congo. Ces conflits ont conduit au pillage éhonté des ressources forestières, autant par les armées régulières de ces trois pays que par les groupes armés rebelles qui les combattaient. Ainsi, dans l'actuelle RDC, les réfugiés et les différentes rebellions ont pillé les ressources naturelles de la riche région de l'est du pays. La faune sauvage servait à nourrir les troupes. Les gorilles des plaines de l'est du parc national de Kahuzi-Biega et les gorilles des montagnes des Virunga ont payé un lourd tribut à ces conflits.

Le gouvernement qui s'installa au Rwanda après la victoire du FPR en 1994 était novice et sans ressources. Les tenants du régime précédent avaient vidé la banque centrale avant de fuir le pays, et l'aide internationale arrivait au compte-gouttes. Les nouveaux chefs devaient faire face sans grands moyens à de nombreux défis, dont les rapatriés qui rentraient en « terre promise » après plusieurs années d'exil. Le gouvernement céda une partie de ses parcs et de ses réserves forestières à ces populations sans terre, ce qui eut des conséquences désastreuses et irréversibles. Et ce n'était qu'un début. Bientôt, les conflits reprirent, et dans le nord du pays réapparurent les troupes armées des anciennes forces gouvernementales responsables du génocide des Tutsis.

Les études universitaires ne nous avaient pas préparés à de tels scénarios. Il a fallu improviser, s'adapter au nouveau contexte, œuvrer dans l'insécurité, ne pas juger les protagonistes en conflit, rebelles ou loyalistes. Nous avons choisi de leur faire admettre la nécessité de la conservation de la nature, nous avons créé un espace de dialogue et un cadre politique de travail permettant la gestion transfrontalière des parcs naturels. Nous sommes sortis du schéma traditionnel où le conservateur n'a en face de lui que son parc, qu'il protège contre des braconniers ou des trafiquants pourvus de moyens de destruction limités. Dans cette région des Grands

Lacs africains où les rebelles d'aujourd'hui sont les hauts responsables de demain, nous avons dû innover et nous risquer hors des sentiers battus pour embrasser ce que nos collègues Bill Weber et Amy Vedder ont pertinemment appelé la « biodiplomatie[4] ». C'est cette aventure que je voudrais raconter maintenant...

## Des débuts difficiles

Le Programme international de conservation des gorilles fut le principal architecte des accords transfrontaliers qui aboutirent à faire du parc une zone sûre pour les gorilles. En 1990, African Wildlife Foundation (AWF), Fauna and Flora International (FFI) et le Fonds mondial pour la nature (WWF) décidèrent de mettre fin au projet « gorilles des montagnes » du parc national des Volcans pour l'étendre au secteur Mikeno du parc national des Virunga, au Zaïre, et dans les forêts de Mgahinga et de Bwindi, en Ouganda. Ainsi naquit le PICG, centré sur la formation du personnel aux techniques antibraconnage, sur l'approche des gorilles pour un tourisme bien réglementé et sur la coordination des actions entre les trois pays. Les moyens étaient plus que sommaires : un coordinateur sans personne pour l'appuyer, et un budget de moins de 100 000 dollars par an pour mener des actions dans trois pays.

Quand j'ai été affecté au parc national des Volcans, en 1990, le projet « gorilles des montagnes » avait du mal à être appliqué. Les tensions étaient palpables entre les responsables du projet et le personnel du parc. Tous les matins, Craig Sholley, le directeur, se présentait au siège pour surveiller la répartition des visiteurs, plafonnés à huit par jour et par groupe. L'ancienne directrice du projet vétérinaire des gorilles des montagnes, le docteur Elizabeth Macfie, était souvent avec lui pour demander aux guides des informations sur la santé des gorilles. Cette surveillance irritait. Était-elle pour autant inutile ? Hélas non. Car les contournements des règles étaient nombreux. Souvent, la direction des parcs à Kigali envoyait des « visiteurs de marque » non prévus sur la liste de visite du jour, qui se surajoutaient aux groupes déjà constitués, et l'on dépassait ainsi le nombre autorisé. Les cadres de Kigali, le conservateur et son personnel sur le terrain ajoutaient aussi parfois leurs propres amis et des visiteurs qui payaient le prix, en connivence avec les agences de voyages. Les recettes de ces visites frauduleuses finissaient bien sûr dans leurs poches. La présence de Craig Sholley et d'Elizabeth Macfie décourageait de telles pratiques, même s'ils n'avaient aucun pouvoir répressif.

C'est de cette situation qu'hérita le PICG. Beaucoup de choses étaient positives, en particulier le renversement de la tendance à l'extinction des gorilles. Mais il fallait aller plus loin, mettre fin à ces trafics et former le personnel cadre des parcs tout en renforçant les actions de lutte antibraconnage. Il fallait ensuite harmoniser la gestion des parcs à gorilles des trois pays. À l'époque, nous ne nous parlions pas encore d'un parc à l'autre. D'autant que, en 1991, les organisations étrangères de conservation présentes au parc national des Virunga du Congo et à Mgahinga, en Ouganda, venaient de plier bagage. Les responsables du PICG étaient donc les seuls à tenter de faire le lien entre les trois parcs.

La mission paraissait presque impossible, tant l'insécurité régnait dans la région. Au Zaïre, la déliquescence du régime de Mobutu avait provoqué une insécurité généralisée. L'armée gouvernementale se livrait à des pillages dans tout le pays. Chez nous, le FPR venait de déclencher les hostilités contre le gouvernement rwandais à partir de l'Ouganda, qui l'aidait massivement – malgré les dénégations officielles du président Museveni –, et venait d'établir ses bases sur les contreforts des volcans, dans le parc de Mgahinga, d'où il lançait des attaques meurtrières contre l'armée rwandaise à Ruhengeri et à Gisenyi, hauts lieux du pouvoir en place mais aussi portes d'accès vers le parc des gorilles.

Chacun des ennemis recrutait dans la région. Habyarimana recrutait dans la communauté rwandophone de Bwishya et Masisi. Le mouvement Magrivi (Mutuelle des agriculteurs des Virunga), formé par l'élite de cette région pour défendre leurs intérêts dans l'arène politique zaïroise, le rejoignit. Le FPR, ayant pratiquement épuisé le stock de recrues possibles en Ouganda et trouvant des difficultés à recruter au Rwanda, « dragua » la diaspora rwandophone du Burundi et du Zaïre. Ainsi, la région de Bwishya-Masisi fut, dès 1991, un terrain de lutte larvée entre factions rwandaises. Notre parc était régulièrement traversé par ces belligérants.

Pour les responsables du PICG, les relations cordiales entre le Rwanda et le Zaïre constituaient une bonne occasion pour rapprocher les deux équipes. Nous travaillions avec les moyens du bord. José Kalpers, premier coordinateur du PICG, parvint à établir une communication par radio VHF entre les sièges des parcs de Rumangabo et de Kinigi, mais aussi entre Kinshasa et Kigali. Le personnel de lutte antibraconnage des deux parcs put ainsi mener des patrouilles conjointes par intermittence. L'Ouganda était alors considéré comme hostile par le Rwanda et le Zaïre mais Kalpers prit le risque de maintenir quand même le contact avec les parcs ougandais. Il tentait de s'acquitter de ce travail d'équilibriste en affichant tous les signes de la plus absolue neutralité. Le génocide de 1994 et la prise de pouvoir du FPR allaient rendre ses efforts caducs et ouvrir une nouvelle ère.

## *Désastre à Gishwati*

En ce mois de juillet 1994, le pays était dans un désordre total. Je venais de retrouver ma famille, et nous nous étions réinstallés dans un Rwanda qui comprenait encore mal ce qui s'était passé. Les forces de l'APR poursuivaient les miliciens interahamwe et les militaires du gouvernement Habyarimana, et poursuivaient leur conquête du territoire, pendant que les apparatchiks de l'ancien régime fuyaient vers le Zaïre, la Tanzanie, le Burundi et l'Ouganda en entraînant la population civile. Personne ne s'y retrouvait : les pays limitrophes du Rwanda et le Haut Commissariat pour les réfugiés (HCR) étaient débordés par la masse de réfugiés fuyant le pays, le nouveau gouvernement du FPR à Kigali était dépassé dans sa capacité à gérer la masse humaine qu'il avait appelée à rentrer d'exil.

Profitant de ce désordre, j'aurais pu, comme beaucoup, tenter de m'infiltrer dans les réseaux du pouvoir. Je ne l'ai pas souhaité : je voulais au contraire essayer de donner le maximum de moi-même là où je pouvais être vraiment utile. Bien que je ne fusse plus en fonction depuis mon emprisonnement, le 3 octobre 1990, je me présentai aux bureaux de l'Office rwandais du tourisme et des parcs nationaux (ORTPN) et demandai ma réintégration. Elle me fut accordée sans autres formalités. Le directeur nommé pour diriger l'ORTPN, Alype Nkundiyaremye, était le secrétaire exécutif du Parti démocratique chrétien (PDC). Juriste de formation et homme d'affaires, il était surtout intéressé par la gestion des hôtels que possédait l'Office, et me laissa le champ libre pour les affaires de conservation des parcs.

Le chantier était immense. Les rapatriés s'installaient pêle-mêle, dans les maisons et propriétés restées libres, comme je l'avais fait moi-même en revenant à Kigali, et investissaient les parcs nationaux et les réserves forestières. Un ministère du Rapatriement et de la Réinsertion sociale (Minireiso) fut créé. Sa tâche était herculéenne. Des centaines de milliers de gens déferlaient sur le pays, qui souvent ne rentraient que pour retrouver leurs terres pillées et leurs familles assassinées. À l'angoisse de trouver un nouveau logement s'ajoutait celle de rechercher des traces des leurs, dont les corps avaient souvent été hâtivement jetés dans des fosses communes, quand ils n'avaient pas été abandonnés le long des routes. Les moyens du Minireiso étaient ridicules : alors que la générosité internationale était bien visible dans les camps de réfugiés au Zaïre, le nouveau gouvernement rwandais était boudé, situation aberrante si l'on songe à qui étaient les vraies victimes du génocide. Les caisses de l'État étaient vides, et les cadres du FPR n'en faisaient qu'à leur tête, impuissants, réagissant au gré de leurs émotions.

Je pris la mesure du désastre en me rendant dans la forêt de Gishwati avec ma collègue Katie Frohardt, alors directrice du Programme international de conservation des gorilles au Rwanda. Avec ses vingt-huit mille hectares de forêt, Gishwati, situé près du lac Kivu, était l'un des joyaux du pays. Aujourd'hui, il en reste quatre mille cinq cents hectares. Pendant des années, les réfugiés l'ont investi et dépecé : bois de chauffe, construction de cabanes, de maisons, défrichage de terrains aptes à accueillir du bétail... Lorsque nous arrivâmes, Katie et moi, nous trouvâmes là un certain Évode, un agent du Minireiso, qui distribuait les terres à des rapatriés venus de la région pastorale du Masisi, au Zaïre. Partout sur la route, dans les sous-bois, regroupés autour de feux, des groupes de gens attendaient ses décisions. Évode n'avait pas d'instrument de mesure. Avec une corde, il jalonnait un bout de terrain et l'accordait à une famille dont il notait ensuite le nom au stylo à bille dans un carnet de notes. Chacune en demandait plus, les mères montraient leurs enfants, tentaient de faire valoir leur besoin d'espace, parlaient de ceux qui allaient rentrer bientôt et qu'ils seraient obligés d'accueillir... Évode disait non, expliquait qu'il voulait garder des terres pour les autres réfugiés qui continuaient d'arriver. « Regardez cet égoïsme. Après ce que nous avons vécu, ça me révolte », pestaient-ils. Un marchandage qu'il était impuissant à contrôler s'était installé entre les rapatriés et les paysans traditionnellement installés autour de la forêt : les premiers donnaient une partie de la terre aux seconds qui, en retour, travaillaient dans les champs des donateurs.

La situation était tellement complexe qu'Évode, seul, ne pouvait y répondre comme il fallait. Même ses assistants, les hommes qui tiraient la corde pour séparer les terres allouées aux différentes familles, étaient des volontaires choisis sur place parmi la population. Bien sûr, ce vieux fléau africain qu'est la corruption assombrissait la situation : des cadres du nouveau gouvernement et des militaires s'approprièrent une bonne partie des terres pour en faire des fermes privées et y mener paître leurs troupeaux de vaches. Quand le pouvoir se décida à mettre de l'ordre, c'était trop tard : la forêt de Gishwati était pratiquement détruite. C'est le plus grand désastre écologique que le Rwanda a jamais connu. En le voyant se perpétrer, impuissant, je me jurai de faire tout ce que je pourrais pour que le parc des gorilles soit le plus possible épargné.

La même situation affecta le parc de l'Akagera. Je pris conscience de l'irresponsabilité de certains cadres du FPR lors d'une réunion entre l'ORTPN et des représentants du gouvernement, débat dirigé par le président Pasteur Bizimungu. J'y accompagnais Alype Nkundiyaremye, le directeur de l'ORTPN. En attendant l'arrivée du président, je me tenais à quelques mètres, en retrait du groupe, lorsque je fus apostrophé par un haut cadre du FPR qui allait ensuite devenir conseiller du président, puis ministre. Il me demanda brutalement si je faisais partie des « malveillants » qui voulaient priver les rapatriés d'une terre dans le seul but de protéger des animaux sauvages. Je m'abstins de lui répondre qu'à mes yeux la protection des réserves naturelles relevait *aussi* de la politique nationale. Cet argument sentimental nous était opposé en permanence, et tout le monde s'en contentait, sans voir qu'il masquait à bon compte un autre débat. De fait, lors d'une seconde réunion, le directeur de l'ORTPN fut bassement humilié par le président Bizimungu devant des cadres du gouvernement. Et les rapatriés, qui n'attendaient que ce signal, purent mettre le parc en pièces. Quand le gouvernement prit conscience de l'ampleur des dégâts, le parc avait déjà perdu les deux tiers de sa superficie.

Il fallait éviter que la même chose n'arrive au parc des Volcans. Comment faire ? Je me trouvais devant un immense chantier. Premier point, et non des moindres : où trouver de l'argent pour mettre en place ce qui devait l'être, et, avant tout, pour payer les employés du parc ? Le contact renoué avec les ONG de conservation qui opéraient dans le secteur avant le génocide ainsi que les revenus du tourisme permirent de payer le personnel dès le mois d'août 1994 : bien des ministères ne pouvaient en faire autant. Les nouvelles recrues furent formées rapidement, et les anciens agents des parcs qui avaient survécu à la guerre et au génocide furent réintégrés au fur et à mesure qu'ils rentraient d'exil.

On frappa un jour à ma porte. J'ouvris et me trouvai, très surpris, devant un gendarme en uniforme : « Je suis le commandant de l'École de gendarmerie nationale de Ruhengeri, le major Eugène Ruhetamacumu. Puis-je vous parler un instant ? » Je cherchai ce que nous avions pu faire de mal ces derniers jours, mais ne trouvai rien. Il s'assit, releva d'un geste les jambes de son pantalon et me dit : « J'aimerais que vous donniez à mes soldats une formation sur la conservation des parcs. » Je faillis éclater de rire, d'abord par soulagement, ensuite parce que cette démarche allait à tel point dans mon sens et que, soyons francs, ce n'est pas d'un gendarme que je l'attendais. J'acceptai bien évidemment et vins moi-même parler à ces jeunes officiers de l'importance de la protection des zones menacées, particulièrement les parcs nationaux.

En un an et demi, jusqu'à la fin de 1995, nous pûmes ainsi remettre en place l'administration du parc et le rendre à nouveau fonctionnel. Mais d'autres chantiers m'attendaient : quelque temps plus tard, je revins sur le terrain dans la forêt de Nyungwe en tant que responsable de projet d'une

ONG de conservation, Wildlife Conservation Society (WCS). C'était en octobre 1995.

## Retour à Nyungwe

Ce retour à Nyungwe fut difficile. J'y retrouvai une équipe dont je connaissais l'attachement au travail, mais les difficultés au quotidien étaient extrêmes. Nous ne pouvions sortir seuls dans le parc, mais devions être accompagnés de militaires. L'insurrection était encore présente, et les attaques contre nos hommes représentaient un vrai risque. Du coup, nous sortions moins, allions moins loin... Je craignais à tout moment un incident grave. Et un jour, il arriva.

« Augustin a été enlevé. »

Je frémis.

« Mais comment ? Il était seul ? »

Augustin, un de nos guides, était effectivement sorti seul, sans beaucoup s'éloigner. Mais cela avait suffi à des rebelles pour l'enlever. Je réunis mes adjoints pour voir ce que nous pouvions faire. Fallait-il envoyer les soldats ? Préparer de l'argent pour une rançon ? Nous n'eûmes heureusement pas à envisager ces extrêmes. Quelques heures plus tard, nous vîmes Augustin revenir, fatigué et encore sous le choc. Heureux d'être sain et sauf, il nous expliqua comment il avait pu échapper à ses ravisseurs.

Le danger se rapprochait pourtant. Peu après l'enlèvement d'Augustin, quelques infiltrés furent pris au centre de commerce de Gisakura, à moins de cinq cents mètres de mon domicile. Les rebelles s'attaquant plus particulièrement aux Tutsis, je compris que mon personnel – exclusivement hutu – assurait ma sécurité. Sans me le dire ouvertement, ils m'empêchaient de me rendre dans certaines zones qu'ils jugeaient « incertaines ». Quand nous patrouillions loin du camp et passions la nuit en forêt, ils se relayaient pour garder ma tente. Dix-huit mois après le génocide, leur geste me paraissait plein de sens.

Le major Kalisa, chargé de la zone de Gisakura pour l'APR, affecta une garde armée à mon domicile. Pendant plusieurs mois, je supportai cette surveillance permanente. Vers le début de 1997, les infiltrations des rebelles se concentrèrent dans le nord du Rwanda, autour du parc national des Volcans, dans la partie adjacente au Zaïre. Le Sud-Ouest se trouvant relativement pacifié, nous pûmes retourner dans la forêt sans trop d'appréhension. Ironie du sort : c'est à ce moment-là que je reçus une lettre du Programme international de conservation des gorilles me proposant de diriger ses activités dans le parc national des Volcans. Je n'hésitai pas une seconde et replongeai dans les zones dangereuses. Une fois de plus, comme en 1990, je ne pus résister à l'appel des gorilles.

## Les gorilles « dans l'œil du cyclone »

À la fin du génocide contre les Tutsis, en 1994, les réfugiés hutus déferlèrent par dizaines de milliers dans les pays limitrophes du Rwanda. Dans l'est du Zaïre, les camps de réfugiés étaient dirigés par les responsables du génocide de 1994 : ex-forces armées rwandaises (FAR) et milices du Mouvement révolutionnaire national pour le développement, l'ancien parti unique de Habyarimana. Soutenus par les forces armées zaïroises (FAZ), qui fermaient les yeux sur leurs agissements, ils franchissaient la frontière pour effectuer des incursions meurtrières sur le territoire rwandais. Entre trente mille et quarante mille anciens militaires et miliciens hutus furent ainsi infiltrés au Rwanda dès le mois de mai 1997. Leurs méthodes pour tuer, souvent à la machette, réveillaient chez tous ceux qui l'avaient vécu le traumatisme du génocide. Vers la fin de 1997 et au début de 1998, le conflit embrasa tout le nord-ouest du Rwanda.

Beaucoup de civils étaient complices de ces « rebelles », y compris au sein du personnel du parc. Je ne pouvais que constater un absentéisme effrayant : les agents ne se présentaient plus au bureau que pour toucher leur salaire, et « travaillaient » le reste du temps, soit par conviction, soit sous la menace, pour les rebelles. Certains

étaient même envoyés en RDC pour y réquisitionner des vaches. De nombreux rebelles s'étaient
installés avec eux, dans le parc, et leurs champs
abandonnés devinrent une sorte de no man's land.
Il fallait à tout prix résoudre le problème. D'abord
en éloignant du théâtre des événements les hommes
qui me restaient fidèles. Je ramenai donc tous les
agents du parc prêts à me suivre vers Nyungwe. Là,
je formai des groupes mixtes, mêlant agents et militaires. Pendant un mois, tous les jours, ensemble, ils
quadrillèrent la forêt, se formant à sa connaissance
et à sa conservation. Je sentis vite que ce répit, loin
des dangers du parc des Volcans, leur remontait
grandement le moral.

Mais, pendant ce temps, il n'y avait plus personne dans le parc. Et nous ne savions plus du tout
ce que devenaient les gorilles. Avaient-ils été attaqués ? La peur les avait-elle fait fuir ? Comment
eux, dont la vie était si paisible, supportaient-ils le
poids de ces menaces ? Pour le savoir, il n'y avait
qu'un moyen : retourner sur place et, forts de cette
cohabitation avec les militaires et des liens noués
dans la forêt de Nyungwe, envoyer des agents
accompagner les soldats qui y patrouillaient.
C'était souvent risqué. Il y eut des accrochages,
des combats à l'arme lourde, et plusieurs agents
des parcs furent tués au Rwanda et en RDC, certains parce qu'ils prenaient part au conflit, d'autres
comme victimes collatérales. Je tiens à leur rendre
ici l'hommage qu'ils méritent. Sans eux, nous

n'aurions jamais pu suivre les groupes de gorilles durant l'insurrection, et Dieu sait ce qu'ils seraient devenus. Ce combat valait-il que des vies soient sacrifiées ?

Les rebelles, heureusement, perdaient régulièrement du terrain face à l'avance de l'armée. Au fil des succès, nous pûmes à notre tour prendre plus d'initiatives. Nos guides gagnaient en assurance et leur courage impressionnait jusqu'aux soldats. Au bout d'un moment, le rapport de forces s'inversa au sein des patrouilles, et les guides prirent la tête de ces groupes mixtes. Cela dura plus d'un an, le temps que la situation revienne à la normale. À la fin de l'année 1998, les rebelles avaient complètement perdu la partie. Ceux qui les avaient rejoints quittèrent la forêt et rentrèrent chez eux. Leur moral était au plus bas. Ils avaient tout perdu, leur « cause », leurs biens. Certains membres de leurs familles avaient été tués par erreur, dans des combats qui ne les concernaient pas. On les sentait frustrés, en colère. Le parc était pour eux à la fois le lieu où ils avaient perdu les leurs et vécu misérablement, et le refuge qui leur avait permis d'échapper quelques mois aux exactions des deux armées. Il nous fallait prendre en compte l'ambivalence de ce sentiment, et les premiers jours de notre action allaient être décisifs pour l'avenir de nos relations.

## Un parc à nettoyer

Soulagés et pleurant nos morts, nous pûmes alors recommencer le travail à temps plein dans le parc. Comme dans toute maison trop longtemps abandonnée, il fallut ranger. Le parc, quand nous y revînmes, était jonché de déchets. Des centaines de gens avaient vécu là dans une précarité totale. Des morceaux de métal ou des outils rouillés traînaient par terre, des restes de nourriture gisaient dans des trous même pas rebouchés. Partout, des abris sommaires avaient été construits, où des feux étaient allumés tous les soirs. Plus grave : des toilettes avaient été creusées, souvent hâtivement. Diarrhées et maladies pulmonaires avaient fait de nombreuses victimes, surtout parmi les jeunes enfants, les personnes âgées et les femmes enceintes. Certains avaient même été enterrés sur place, sans aucune précaution.

Le danger de contagion était réel. Plus de cent cinquante maladies humaines se transmettent aux primates : la rougeole, le rhume, la gale, différentes maladies pulmonaires... Jane Goodall, célèbre pour avoir étudié les chimpanzés à Gombé, en Tanzanie, les a vus frappés par une épidémie de polio introduite par des humains mal vaccinés. Plus récemment, un virus grippal a de nouveau tué des chimpanzés, et un véritable programme de suivi médical a dû être mis en place. Dans le parc national d'Odzala, au Gabon, refuge des gorilles des plaines de l'Ouest, des chercheurs ont mis en évidence une dermatose ressemblant à une forme sévère de filariose chez les humains. De grands morceaux de peau se détachaient des membres inférieurs des gorilles atteints, et leur bas-ventre et leur aine étaient depuis si longtemps atteints que leur peau avait perdu sa coloration noire habituelle pour devenir blanc-rose.

Mais notre principal souci était de pouvoir mener à bien notre tâche sans nous mettre à dos les populations. Nous devions à la fois créer un climat d'entente cordiale entre les agents du parc et les communautés, et trouver un moyen de leur procurer de quoi vivre. Sinon, ils ne partiraient pas et nous considéreraient comme des ennemis. Pour cela, il fallait de l'argent. Le parc, devenu trop peu sûr, avait abandonné ses activités touristiques, et ses rares ressources étaient absorbées par les salaires du personnel. Quand j'essayais de parler du problème à d'éventuels bailleurs de fonds, on me répondait qu'il était trop risqué d'investir dans une zone aussi peu sécurisée. « Mais, répliquais-je, votre investissement permettra d'en augmenter la sécurité. – Commencez par le rendre sûr et nous verrons », me répondaient-ils. C'était un cercle vicieux, et je n'en sortais pas. Il y avait urgence.

Pendant plusieurs semaines, je devins un visiteur assidu de l'ambassade des Pays-Bas au Rwanda.

J'y étais courtoisement reçu par Nordman Gerrit, un diplomate. Gerrit avait une grande expérience dans le domaine de la protection de l'environnement en période de guerre, et il était très sensible à la situation du Rwanda. Lui aussi était révolté par certains comportements, en particulier celui d'expatriés cyniques qui voulaient pérenniser leur présence afin de continuer à toucher leurs primes de risque tout en n'aidant pas le gouvernement rwandais à accéder aux financements dont il avait pourtant désespérément besoin. Quand je lui avais demandé de l'argent pour le nettoyage du parc des gorilles, il avait été surpris. Les requêtes qu'il recevait jusque-là concernaient les rescapés du génocide ou les rapatriés de la diaspora, pas les animaux. Il fallut que je le convainque, lui aussi, que tout cela était lié, que les animaux aideraient les hommes autant que les hommes le feraient pour les animaux. Il finit par m'accorder le financement que je sollicitais. Le nettoyage put commencer.

En premier lieu, il fallait boucher toutes les toilettes et enfouir les déchets d'origine humaine trouvés à la surface, y compris parfois des cadavres mal enterrés. D'emblée, je décidai d'utiliser au maximum les gens qui avaient vécu sur place, en leur donnant des salaires plus élevés que ceux qu'ils auraient touchés ailleurs et en donnant la priorité aux femmes. Les volontaires ont immédiatement été très nombreux, trop même, et nous avons dû mettre en place des roulements obligeant les hommes à laisser la place à d'autres au bout de trois jours. Les gens qui nous rejoignaient connaissaient très bien le parc. Tandis que je les accompagnais, je pus mieux comprendre la vie qui avait été la leur. Un homme, un jour, nous montra l'endroit où il avait enterré son père mort de diarrhée aiguë. Une femme nous indiqua l'abri sous lequel elle avait mis au monde son bébé, qu'elle devait garder en permanence collé contre son ventre pour le protéger du froid, et cela me rappela le geste des femelles gorilles. Je fus frappé par le détachement avec lequel ces gens racontaient leurs histoires douloureuses. Ils les narraient pour s'en débarrasser, sans aucun sentimentalisme, se concentrant sur le moment présent et pensant à l'avenir. Tout se passait comme s'il n'y avait plus de place en eux pour ce passé cauchemardesque, comme s'ils voulaient l'enterrer avec les déchets qu'ils ramassaient dans le parc. C'était presque un exorcisme.

Des centaines de tonnes de déchets furent enlevées et enfouies dans de larges fosses creusées à la périphérie du parc, et les paysans des alentours reçurent pour ce travail plusieurs millions de francs rwandais. J'ai fait attention à mélanger les équipes du parc et les communautés pour créer des liens susceptibles de perdurer au-delà de ce travail ponctuel.

Quand il a fallu, plus tard, construire des postes de patrouille pour les gardes du parc, nous avons tenu compte de cette nouvelle dynamique. Les bâtiments ont été conçus avec une salle où les communautés pouvaient se réunir quand elles le voulaient et une petite boutique où elles pouvaient se ravitailler. Et la sécurité sanitaire des gorilles fut prise en compte avec plus de sérieux. Des règles concernant les visites aux familles de gorilles habituées à la présence humaine furent mises en place, qui sont toujours appliquées. Les touristes doivent observer une distance d'au moins sept mètres, et les touristes malades ne sont pas autorisés à visiter les gorilles. Les employés du parc sont régulièrement examinés pour voir s'ils ne sont porteurs d'aucune maladie contagieuse, des études cliniques sont menées parmi les populations vivant autour du parc, car, malgré les interdictions, elles continuent trop souvent d'y entrer. Enfin, chaque gorille « habitué » est suivi, et toutes les informations relatives à sa santé sont recueillies.

Je croyais qu'après ces grands travaux de nettoyage, alors que la sécurité régnait à nouveau, le parc allait connaître des jours plus sereins. Je me trompais, hélas, et de beaucoup.

## Le parc des gorilles de nouveau menacé

C'était au début de l'année 2002. J'étais à Nairobi, où se trouvait mon bureau. Le téléphone sonna. Au bout du fil, Anecto Kayitare, le représentant du PICG au Rwanda, m'annonçait que le gouvernement venait de décider d'attribuer sept cents hectares du parc des Volcans aux populations installées dans la forêt de Gishwati. Là-bas, l'exploitation agricole anarchique de ses pentes raides avait provoqué une érosion, et de violentes pluies avaient fait s'écrouler de grands pans de montagne. La solution immédiatement proposée pour limiter les ravages fut d'installer les sinistrés… sur une partie du parc national des Volcans !

Je me précipitai dans le premier avion à destination de Kigali. Ce qui était arrivé à Gishwati était désolant, mais parfaitement prévisible, et nous avions de nombreuses fois attiré l'attention des autorités locales sur le danger. Pourquoi nos gorilles devraient-ils payer les frais de cette imprévoyance ? Cela me paraissait d'autant plus incohérent que le gouvernement rwandais, le même qui avait, me disait-on, donné cet ordre, entretenait un bataillon entier de militaires pour protéger le parc. Qui plus est, les recettes des visites aux gorilles avaient déjà largement prouvé la rentabilité du parc, sans parler de l'effet positif qu'avait le sauvetage des derniers gorilles sur l'image, pour le moins négative, du Rwanda. Et on voulait tuer cette poule aux œufs d'or ?

Durant le vol, je tentai de comprendre cette décision aberrante. Bien sûr, il y avait des tiraillements entre le général Kagame, vice-président et ministre de la Défense, et le président Pasteur Bizimungu, mais cela suffisait-il à expliquer cette incohérence ? Le gouvernement paraissait conscient du problème : il avait mis fin aux nouvelles installations de populations dans le parc de l'Akagera et en avait stabilisé les limites. Et il venait de mettre en place une législation incluant systématiquement la protection de l'environnement dans toute nouvelle politique de peuplement. Qui alors avait pris cette décision ?

À peine atterri, je me rendis à Gisenyi, et me précipitai chez un officier que je connaissais bien :

« Il faut que je voie le préfet, le suppliai-je.

– Pourquoi ? C'est important à ce point ? »

Je lui racontai tout, et obtins son aide. De façon tout à fait informelle, je pus rencontrer le préfet. Ce fut une étrange entrevue. Manifestement, il était au courant de la situation. Mais il me parut coincé, il se tortillait sur sa chaise, paraissant à la fois ne pas cautionner la situation et peu désireux de l'arrêter. Je le quittai, guère plus avancé, et décidai de pousser plus loin mon enquête. Je me rendis dans le district de Mutura. Là, après avoir interrogé quelques fonctionnaires, j'appris que l'initiative provenait du maire du district. Cela me rassura. Il ne s'agissait donc pas d'une volte-face gouvernementale, mais d'un excès de zèle d'un administrateur local. Voilà qui allait être plus facile à contrer. J'alertai immédiatement mes collègues des ONG de conservation afin que nous menions ensemble un lobbying appuyé auprès des ministères concernés. Tous répondirent présents. Chacun joua ses pions, alerta ses amis, fit antichambre là où il fallait. Nous obtînmes gain de cause : la proposition de réinstaller des populations dans le parc des Volcans fut stoppée net.

Cet incident, qui m'avait tant effrayé, me remplit finalement de joie. Au reproche qui nous était fait de « préférer les animaux sauvages aux humains » avait fait place une vision responsable de la part d'autorités politiques conscientes, qui n'hésitaient pas à contrer les actions mettant en péril l'intérêt global de la nation. Noble cause et action collective, la défense de l'environnement finissait donc par trouver des adeptes au sein même de la classe politique.

L'épisode des réfugiés de Gishwati n'est qu'un exemple parmi d'autres. Il nous fallut dépenser des trésors de diplomatie, négocier aussi bien avec les responsables politiques qu'avec les agents de la protection dans les parcs ou avec les militaires. Je me suis toujours efforcé, dans ces contacts, de trouver des points communs avec mes interlocuteurs. Nos petits succès résultaient toujours de la compréhension d'intérêts partagés. Une fois cette étape passée, nous discutions des moyens pour rebâtir les sanctuaires environnementaux et les protéger. Je me souviens, entre autres, d'un dialogue avec un officier que je remerciais de nous avoir fourni des soldats pour nous aider à localiser des groupes de gorilles pendant l'insurrection du nord du Rwanda. Je croyais le féliciter en lui disant qu'il était devenu un protecteur de l'environnement comme moi. Il me fit comprendre que je me trompais sur le sens de son action : il s'était battu pour les Rwandais et le referait si c'était nécessaire. Le sort des animaux sauvages était notre préoccupation, pas la sienne. Je lui fis valoir que chacun de nous aidait l'autre à atteindre son but, et qu'il n'y avait nulle contradiction entre nos désirs. Depuis lors, il s'est créé entre nous une vraie complicité autour la conservation de la nature du Rwanda pour nous et pour nos enfants.

## Protéger les populations

Tout cela ne résolvait pas le problème de fond de l'aide à apporter aux populations des parcs, que notre action de conservation privait de moyens de survie. Il y avait deux façons de s'en occuper : l'une était de les expulser et de les envoyer se faire pendre ailleurs, l'autre, d'essayer de trouver pour eux des ressources équivalentes à celles dont nous les privions. Inutile de dire que la deuxième solution fut préférée de façon unanime.

Quand je passe aujourd'hui à l'entrée du parc des Volcans, je peux mesurer le chemin parcouru. Sur la route, alors qu'au loin les cimes des volcans déchirent le brouillard qui les entoure presque tous les matins, des gens marchent. Beaucoup vont aux champs, et on peut les apercevoir depuis la route, penchés sur leur terre, la houe à la main. Plus on se rapproche de l'entrée du parc, plus on voit de petits groupes qui attendent les touristes. Deux hôtels, suffisamment discrets pour ne pas abîmer le paysage, se sont ouverts. Ce sont des *lodges* communautaires, exploités par des professionnels de l'hôtellerie mais qui appartiennent aux populations locales. En deux ans, ces deux hôtels ont reversé respectivement près de 400 000 et 210 000 dollars aux gens de Bwindi, en Ouganda, et aux gens des volcans, au Rwanda. Si l'on remonte vers les flancs du Bisoke, on trouve un *lodge* très luxueux. Il est géré par un Anglais qui reverse 58 dollars par nuitée et 7 % de son chiffre d'affaires à la communauté. Cet argent est ensuite investi dans des projets à caractère social choisis par des représentants des villages. Ainsi, au Rwanda, l'argent sert à construire des maisons pour des veuves rescapées du génocide et des salles de classes pour les enfants. Une autre partie de la somme est utilisée pour installer plus loin du parc ceux qui ont été victimes de la proximité des animaux, notamment des buffles et des éléphants. Un centre culturel communautaire a aussi été construit. Nous y avons reconstitué une maison royale, où nous donnons régulièrement des spectacles de danse. Des emplois ont été créés, des ventes de produits artisanaux, mises en place. Des réservoirs de captage et de conservation des eaux, des routes et des ponts dans les villages autour des parcs, ont été construits. Sans oublier les associations d'artisans et d'apiculteurs subventionnées pour améliorer la qualité et la vente de leurs produits, les écoles et les centres de santé édifiés sur plusieurs sites autour du parc.

Quand j'arrive le matin, je vais toujours saluer un groupe de femmes qui fait de l'artisanat. Elles se tiennent derrière l'accueil, leurs objets devant elles, pleines de couleurs, parlant haut et fort. Beaucoup sont les veuves de gardiens qui ont été tués alors qu'ils tentaient de protéger le parc pendant les années houleuses. Quand j'ai reçu le prix Goldman, considéré comme la plus haute distinction attribuée aux « environnementalistes », en 2001, en récompense du combat mené pour la protection des gorilles, j'ai partagé la somme allouée notamment avec ces veuves sous différentes formes (cash, petit bétail, fonds pour microcrédits). Au Rwanda ont ainsi été fondées des associations où elles ont bénéficié d'un encadrement de trois ans visant à améliorer leurs méthodes de culture et d'élevage, avant qu'elles ne soient intégrées dans des coopératives d'artisanat pour les touristes. Ce projet avait pour objectif de leur donner une base de confiance morale et matérielle pour faire face à la compétition sociétale. Elles sculptent par exemple des gorilles en bois. Ce bois, elles le font pousser dans leurs jardins au lieu d'aller le chercher dans le parc. Cette activité leur procure suffisamment d'argent pour acheter du savon, de la lessive, certains objets ménagers. Cinq pour cent de l'argent vont à la coopérative, le reste est pour elles. Elles ont toutes des potagers qui leur fournissent de quoi manger.

L'idée maîtresse du projet est que le parc ne soit plus la seule ressource de ces gens : plantations d'arbres pour bois de chauffe, culture de champignons à l'extérieur du parc, apiculture – elle aussi transportée hors du parc –, artisanat, ont ainsi pu se développer. Nombre de ces activités légales ont été élaborées après que nous avons cartographié les activités illégales. Les ruches ont particulièrement posé problème. Pendant longtemps, nous nous sommes contentés de les détruire quand nous en trouvions. Mais les gens étaient mécontents. Cela déclenchait parfois des bagarres. Et, de toute façon, dès que nous avions le dos tourné, ils allaient en installer ailleurs... Il a donc fallu organiser des réunions avec les autorités locales pour défendre notre point de vue. Je me souviens de plusieurs d'entre elles, particulièrement houleuses... Nous avons compris les inquiétudes de ceux qui étaient en face de nous et mis en place des actions positives en finançant la réinstallation de ruches à l'extérieur du parc, en formant des associations et des coopératives pour aider à vendre le miel, acheté du matériel pour l'emballer... Aujourd'hui, il y a un centre de collecte. L'an dernier, une autorisation d'exporter a été délivrée. Et il n'y a plus de ruches dans le parc. Ou presque plus : quelques irréductibles font encore de la résistance et installent des ruches clandestines que nous détruisons quand nous les trouvons.

L'un des problèmes majeurs pour ceux qui habitent autour des parcs est la présence des animaux sauvages. Combien de fois ai-je vu un champ dévasté par des buffles ou des gorilles qui s'y étaient ébroués pendant des heures, réduisant à néant une année d'efforts... Nous avons donc fait construire autour du parc un mur de briques de deux mètres de haut, qui court sur soixante-treize kilomètres, pour empêcher les buffles de sortir. Nous avons motivé des volontaires pour qu'ils refoulent les animaux qui franchissent cette limite, et avons déplacé pour les reloger les populations qui étaient trop proches de cette nouvelle frontière.

## CHAPITRE 6

# Espoirs

*Tout commence avec des gardes forestiers...*

Je participai pour la première fois à une réunion tripartite entre les officiels des parcs à gorilles du Zaïre, du Rwanda et de l'Ouganda en 1995, à Kisoro, en Ouganda. J'étais alors chef de service à l'Office rwandais du tourisme et des parcs nationaux (ORTPN), chargé de la conservation des parcs nationaux. J'appréhendais beaucoup cette première rencontre : comment allais-je trouver mes collègues ? Allait-il y avoir entre nous de véritables échanges ? Pourrions-nous collaborer ? Si je devais me heurter à de l'hostilité, à un refus de coopérer, si les soucis qui pouvaient diviser nos gouvernements étaient tangibles dans cette pièce, ce ne serait même plus la peine de continuer.

La réunion était informelle. Je fus accueilli avec chaleur dans la salle, et, à mon grand soulagement, je me rendis vite compte que la discussion était prise au sérieux par tous les participants. Elle portait sur la lutte contre le braconnage. Quand Annette Lanjouw est devenue directrice du PICG, elle fut très vite convaincue que de telles réunions étaient nécessaires pour rendre effective la collaboration entre les gestionnaires des parcs à gorilles. Dès 1997, celles-ci eurent lieu systématiquement une fois par trimestre. À l'époque, nous tâtonnions. Aujourd'hui, elles sont devenues rituelles, et nous les appelons les « réunions régionales du PICG ».

Quand j'ai rejoint le PICG en mars 1997 comme responsable du Rwanda, j'ai donc continué d'organiser ces réunions. Mais ce n'est qu'en 1999, à Naivasha, au Kenya, que j'ai pris la résolution de jouer à fond le jeu du rassemblement. Je revois avec bonheur ces rencontres qui nous ont permis de tisser des liens par-delà nos divergences et de prouver que certaines causes, celle des gorilles en particulier, permettaient de transcender les conflits. Rapidement, nous invitâmes les responsables des ONG opérant dans nos parcs à nous rejoindre. Chaque participant présentait son bilan du trimestre précédent et annonçait ses projets pour le trimestre à venir : sécurité des gorilles, sauvegarde de leur santé, implication des communautés locales, recherches menées sur les animaux...

Nos plus importantes décisions furent prises dans ce cadre. Par exemple, en 1997, l'engagement de partager les revenus du tourisme lié aux gorilles avec les communautés locales. C'est là, en 1998, qu'on décida d'harmoniser le prix des visites entre les trois pays et qu'on adopta la règle « sacro-sainte » de laisser une distance obligatoire de sept mètres entre l'homme et le gorille pendant les visites touristiques.

Nous apprîmes à nous connaître. On ne fait pas avancer les choses avec des idées, on le fait avec des gens. Ces réunions furent l'occasion de nouer des relations amicales, là aussi en tentant de transcender les rapports parfois difficiles entre nos pays. Nous partions pourtant de loin.

## Le « déclic » de Naivasha

La fraîcheur de l'eau me saisit soudain, faisant quelque peu retomber la rage qui m'empoignait. J'avais quitté furieux la salle de la réunion et n'avais trouvé d'autre exutoire que de plonger d'un coup dans l'immense piscine du Simba Lodge, l'hôtel qui nous abritait. J'étais à Naivasha, au Kenya, à cent kilomètres de Nairobi, l'un des hauts lieux touristiques du pays, place forte des expatriés, située en plein pays masai – ces guerriers dont le mode de vie pastoral et le refus de la vie moderne font légende dans toute l'Afrique. Le voyage avait pourtant magnifiquement commencé. Quelques kilomètres avant d'arriver à notre hôtel, nous avions observé de petits groupes de zèbres mêlés aux troupeaux de vaches des Masaïs, et j'avais auparavant admiré pour la première fois la vallée du grand Rift dans sa splendeur, le « berceau de l'humanité » qui s'étend de la mer Rouge jusqu'au fleuve Zambèze.

Ce jour-là, le 12 avril 1999, je venais en effet d'essuyer une humiliation tout à fait injuste. J'avais été invité par ma directrice, Annette Lanjouw, à participer aux débats sur la conservation des sites du patrimoine mondial de la RDC. L'inscription sur la liste du patrimoine mondial est scandée par des étapes relativement longues au cours desquelles il faut réunir les nombreux éléments que l'État doit présenter dans son dossier de candidature à l'UNESCO. J'espérais y apprendre suffisamment de choses pour pouvoir tenter par la suite de faire reconnaître le parc des Volcans comme patrimoine mondial.

J'étais parti très excité. Je connaissais la plupart des participants, avec lesquels nous tenions régulièrement des réunions sur le terrain, au Congo, au Rwanda ou en Ouganda, et j'étais ravi de les revoir au Kenya, paradis de la faune sauvage. Mais, déjà dans la voiture, je les avais trouvés réservés, distants, sans que j'en devine la raison. C'est Annette la première qui me mit la puce à l'oreille. Elle m'attendait devant la porte de ma chambre, où je venais de déposer mes affaires :

« Eugène, il faut que je te dise…
– Oui ? »

Elle paraissait très mal à l'aise.

« Je... Je crois que les collègues congolais ne sont pas très contents de ta venue ici...

– Mais c'est toi qui m'as dit de venir !

– Je sais bien. Je suis d'autant plus embêtée. Mais j'ai fait une erreur. Je n'avais pas perçu leur gêne... »

Je ne m'étais donc pas trompé.

« C'est à cause de la guerre ?

– Oui... »

La deuxième guerre du Congo, la « Première Guerre mondiale africaine », faisait alors rage, opposant en particulier le Rwanda et la RDC (l'ex-Zaïre).

Je partis réfléchir de mon côté. Je me convainquis qu'Annette exagérait, que, bien sûr, mes collègues s'étaient montrés un peu froids, mais que, dans le fond, nous n'étions pas des politiciens et que cela ne pouvait guère aller plus loin que cette légère grogne. En début d'après-midi, presque rasséréné, je me présentai donc dans la salle de réunion. Je perçus tout de suite la tension qui y régnait. Un collègue du nom de Karl Ruff, travaillant alors pour le compte d'une fondation américaine, la Gilman International Conservation, demanda la parole. Il dit que, à cause de la guerre entre le Rwanda et la RDC, ses collègues congolais ne voulaient pas que le Rwandais Eugène Rutagarama participât à « leur » réunion. Un des Congolais se leva alors et exprima sa déception de me voir assis à leurs côtés alors que mon pays avait agressé le sien et occupait une partie de son territoire. Dans la salle, les gens commençaient à chuchoter.

Annette Lanjouw tenta alors d'expliquer pourquoi elle m'avait invité, mais je l'interrompis et pris la parole. Je ne pouvais tolérer qu'on critiquât ma présence quand d'autres non-Congolais, des Occidentaux en particulier, étaient présents dans la salle. La voix un peu serrée, je leur dis : « Chers collègues, je suis venu pour participer à une réunion sur la conservation. Si vous croyez résoudre des problèmes politiques et mettre fin à la guerre entre le Rwanda et la RDC dans ces assises, alors je ne suis pas à ma place ; je vous laisse délibérer. » Sur ce, je quittai la salle.

Je sortis fou de rage, en proie à une terrible déception. Le modérateur n'avait rien fait pour m'éviter cette humiliation. Mes collègues de l'est de la RDC, avec qui je travaillais en bonne intelligence depuis quelques années, n'avaient rien dit. Et les Occidentaux non plus. Pourquoi s'étaient-ils murés dans le silence ? Cet incident me fit beaucoup réfléchir à la collusion entre politique et conservation. Alors que j'enchaînais les longueurs dans la piscine de l'hôtel, je pris la résolution de jouer un rôle actif et positif dans la dynamique de collaboration transfrontalière déjà engagée entre la RDC, l'Ouganda et le Rwanda. Ce serait mon combat, et je le mènerais loin de l'intolérance bête dont je venais d'être victime.

Le surlendemain, rentré au Rwanda, j'envoyai immédiatement à Annette Lanjouw le message suivant :

*Chère Annette,*

*Je te remercie pour tous les mots d'encouragement et de réconfort que tu as eus à mon endroit au cours du dernier incident de Naivasha. J'espère que la réunion aura abouti à des recommandations utiles pour les participants.*

*À propos de l'incident, justement, si ce n'est pas encore fait, je voudrais te demander de ne pas en faire grand cas, comme j'essaie de le faire ici...*

*La conservation des espèces animales qui habitent à cheval entre plusieurs pays requiert plus que des connaissances biologiques. Il faut garder la tête froide, oublier ses émotions personnelles et ne plus penser qu'à l'objectif final : unir les gens pour le bien des animaux. Mais la conservation peut basculer à tout moment dans des querelles politiques stériles si les acteurs ne délimitent pas leur champ d'opération ou ne se focalisent pas sur des buts clairement définis. L'Afrique est encore dans l'apprentissage. Elle n'a pas le droit de se vautrer dans la médiocrité contemplative ou dans une partisanerie primitive.*

## Un accord est trouvé

On voit donc que cela ne fonctionnait pas toujours. Mais tant pis, il fallait continuer. Sans ces liens, sans cette estime et cette confiance que nous nous accordions les uns aux autres, jamais nous n'aurions pu dépasser les crises politiques entre nos trois pays.

Il nous fallait des actes. Le plus important et le premier de nos efforts fut la création de patrouilles conjointes entre les trois pays. Ces patrouilles exceptionnelles obligeaient à aller beaucoup plus loin que les patrouilles quotidiennes. Chacune d'entre elles marchait jusqu'à la frontière pour y rencontrer ses homologues. Les patrouilleurs de deux pays passaient ensemble un ou deux jours à ratisser les deux parcs, surtout dans les espaces frontaliers entre les États. Ils mangeaient ensemble, dormaient sous les mêmes tentes. Cette configuration était très efficace. Des centaines de pièges pour animaux étaient enlevés ; parfois, des braconniers étaient arrêtés en flagrant délit. Mais c'est surtout sur le moral des gardes qu'elle avait un effet formidable. Quand ils revenaient à leur base, dans leurs pays respectifs, tous étaient regonflés à bloc, plus convaincus que jamais du bien-fondé de leur travail.

Aujourd'hui encore, les chasses aux pièges constituent une grande partie du quotidien des gardes. Il y en a de plusieurs types. Les uns sont des cercles en bois avec des piques qui cachent un trou. Quand un buffle y prend sa patte, il ne peut plus s'en sortir. Les braconniers, qui sont tout près, peuvent alors le capturer. Les autres sont de simples cordes tendues au bout d'un bambou avec un nœud coulant, qui prennent surtout des antilopes. Mais ce piège attrape aussi la main de bébés gorilles, qui parfois ne peuvent plus se dégager. Les gardes, quand ils en trouvent, détruisent les pièges et les emportent. À une époque, ils touchaient une prime, mais nous nous sommes aperçus qu'ils en rapportaient parfois de faux. À Nyungwe, j'ai fait supprimer cette prime.

J'ai parfois accompagné les gardes forestiers. Dans le froid et la pluie du crépuscule, j'ai compris mieux qu'avant la bêtise de cette notion de frontière, et j'ai envié la liberté des gorilles, qui, eux, peuvent les franchir sans avoir besoin de s'en préoccuper. J'ai vu des gardes s'embrasser après une longue journée de patrouille, j'ai entendu des mots d'amitié sortir de toutes les lèvres. La langue n'était plus une barrière, la nationalité encore moins. Les Rwandais parlaient un swahili approximatif, les Ougandais s'essayaient au français, les Congolais lançaient des mots en kinyarwanda ; et tous éclataient de rire. Ils avaient rangé armes et munitions. Ils racontaient fièrement les histoires de la journée. Ils étaient en harmonie totale. Les flammes du feu éclairaient les visages. Ces trop rares moments illuminaient aussi ma propre vie et lui donnaient une direction.

Bien sûr, tout ne fut pas simple. Ces patrouilles conjointes furent un succès, un véritable succès, un de ceux qui nous convainquirent que nous étions sur la bonne voie, mais elles n'en étaient pas moins parfaitement illégales : les agents passaient d'un pays à l'autre, avec des armes et des munitions, sans autorisation, sans passeport, sans visa. Si l'un d'eux était un jour blessé par un braconnier ou amené à se servir de son arme, nous serions dans de sales draps. Ce sont les Ougandais les premiers qui nous ont fait toucher du doigt ce risque.

Dix ans après le début des premières actions de la collaboration transfrontalière sur le terrain, en octobre 2001, le PICG réunit pour la première fois les directeurs généraux des parcs nationaux des trois pays à Nairobi. À l'époque, la tension entre le Rwanda et la RDC d'abord, entre le Rwanda et l'Ouganda ensuite, était à son comble. La RDC était encore divisée en deux parties : le Rassemblement congolais pour la démocratie (RCD) régnait en maître dans l'est du pays, tandis que le pouvoir central contrôlait de moins en moins de choses. Il y avait donc deux représentants du pays. Malgré le contexte difficile, ils parvinrent, sous l'égide du PICG, à articuler une vision commune. Un brouillon de protocole d'entente sur le massif forestier transfrontalier des Virunga vit le jour. Il proposait de constituer un seul parc transfrontalier, d'en élaborer une gestion commune et de mener une campagne conjointe pour attirer ensemble des touristes.

Vers 2003, les conflits s'apaisèrent un peu et le PICG en profita pour relancer le protocole. Les nouveaux directeurs généraux se réunirent à Goma, en RDC, en janvier 2004. Deux changements majeurs furent apportés au texte initial. Le premier proposait de l'étendre aux huit parcs transfrontaliers du Rift albertin central entre la RDC, l'Ouganda et le Rwanda. Le second, plus réaliste, proposait la référence à un parc unique géré par les trois pays. Mais la situation politique ne s'y prêtait pas encore. Les directeurs préférèrent signer un document dont ils pourraient facilement mettre en œuvre le contenu plutôt qu'un papier plein de bonne volonté qu'ils iraient classer dans leurs armoires. C'était sans doute plus sage. L'accord se fit sur le fait que ces parcs à cheval sur les frontières des trois pays constituaient un seul « écosystème » transfrontalier dont il fallait assurer une gestion coordonnée en se consultant et en s'appuyant mutuellement dans l'exécution des objectifs. Le plan stratégique transfrontalier fut soumis aux ministres de tutelle des institutions gérant les parcs nationaux des trois pays en octobre 2005, à Goma. Ceux-ci l'approuvèrent. Le plan fut finalisé en février 2006, puis signé en mai 2006. Ce fut un pas capital.

Les gorilles eux-mêmes furent les premiers à nous faire sentir à la fois le bien-fondé et la fragilité de cet accord. En 2006, le groupe Kwitonda, ce groupe de gorilles habitués à la présence humaine depuis plusieurs années dans le Mikeno, en RDC – ce groupe que j'aimais tant –, s'est déplacé vers le Rwanda, franchissant la frontière. Juste après, le seul groupe de gorilles habitués dans le parc de Mgahinga, le groupe Nyakagezi, quitta également sa zone en Ouganda pour s'établir lui aussi dans le parc national des Volcans. Malheureux ! Ils nous causèrent bien des problèmes, faisant perdre beaucoup d'argent au pays d'origine – les touristes n'y venaient plus – et obligeant à de grosses dépenses le pays qui les accueillait, contraint de déployer des efforts supplémentaires pour assurer leur suivi quotidien. Ce fut la panique ! Comment gérer ce problème ? On ne pouvait bien évidemment pas contenir dans un pays les gorilles qui avaient envie et besoin de bouger. Alors ? Nous nous réunîmes à nouveau. Ce fut un vrai moment de crise. Plusieurs fois, nous fûmes proches de la rupture, et je voyais d'un cœur brisé mes efforts de toutes ces dernières années en passe d'être réduits à néant par ces déplacements imprévus. Mais les crises aussi nous font faire des pas de géant. Au bout de plusieurs rencontres houleuses, les autorités des trois parcs s'accordèrent sur un nouveau protocole qui scellait et concrétisait notre union : les revenus générés par les gorilles seraient désormais partagés également entre l'institution d'origine et l'institution hôte.

Cette clause était capitale. Grâce à elle, notre collaboration devenait concrète. Les liens qu'elle créait dépassaient les déclarations de bonne volonté, déjà difficiles à obtenir. Plus de 500 000 dollars américains furent transférés du gouvernement rwandais au gouvernement congolais, ce qui permit à l'institut des parcs congolais de couvrir une partie de ses frais de fonctionnement, dont ceux des gardes qui protègent les gorilles en RDC. La collaboration entamée entre parcs, pendant que les politiques réglaient leurs comptes sur le champ de bataille, était enfin reconnue, avalisée, officialisée. Tout n'est pas parfait, et cette harmonisation n'est pas encore totale : l'Ouganda autorise certaines communautés à entrer dans le parc pour y chercher de plantes médicinales, du miel, des laines pour tresser des paniers, alors que la RDC et le Rwanda l'interdisent. Mais l'essentiel est fait.

Après la signature du nouveau protocole, Rosette Rugamba, la directrice de l'Office rwandais du tourisme et des parcs nationaux, m'a regardé droit dans les yeux et m'a lancé : « Eugène, tu as gagné ! » Mais je pensais surtout aux hôtes de la forêt, à ces bêtes dont le regard continuait de me bouleverser chaque fois que je le croisais : ce sont eux, ce jour-là, qui avaient gagné.

## La tuerie des gorilles

Y a-t-il dans le monde des régions maudites ? La zone dans laquelle je vis est bouleversée depuis des années par de nombreux conflits, dont le génocide est la forme la plus troublante mais, hélas, pas la seule. Voisine de notre Rwanda, la République démocratique du Congo, comme elle s'appelle aujourd'hui, a elle aussi vécu des heures douloureuses. Pendant trente-deux ans, le président Mobutu Sese Seko a régné d'une main de fer sur le pays, multipliant gaspillages, népotisme et violences. En 1996, l'Alliance des forces démocratiques pour la libération du Zaïre (AFDL) a renversé ce régime à bout de souffle et a porté Laurent Désiré Kabila au pouvoir. De nombreux Hutus furent alors massacrés, au point que certains ont à leur tour parlé de « génocide ». Au Rwanda, où l'idée d'une vengeance des Hutus continuait de faire très peur, nous pensions que Kabila, les Ougandais et les Rwandais qui l'avaient aidé à prendre le pouvoir seraient un bouclier contre les extrémistes installés dans les montagnes de l'Est. Mais, à peine installé dans le fauteuil de Mobutu, Kabila se retourna contre ses alliés et les chassa du pays. Furieuses, les armées ougandaises et rwandaises marchèrent alors contre Kinshasa. Kabila avait besoin de nouveaux amis pour contrer cette menace : il fit d'énormes concessions territoriales à l'Angola et au Zimbabwe, qui envoyèrent des troupes pour dégager la capitale. Le désordre prit des proportions encore inconnues dans la région. La deuxième guerre du Congo impliqua neuf pays africains et une trentaine de groupes armés.

Dès le mois d'août 1998, un mouvement rebelle, le Rassemblement congolais pour la démocratie (RCD), se battit contre les forces de Kabila. Le général dissident Laurent Nkunda faisait partie du RCD. Après les accords de paix de 2002, il rejoignit les forces armées nationales congolaises, dans un processus de réconciliation, puis les quitta en accusant le gouvernement de corruption. Il forma alors sa propre armée ainsi qu'un mouvement politique appelé Congrès national de défense du peuple (CNDP). Dès 2006, ce mouvement contrôlait plus du tiers de la partie congolaise du parc abritant les gorilles des montagnes.

Le début de l'année 2007 fut pour nous particulièrement tragique. Le 5 janvier, un gorille à dos argenté du nom de Rugabo fut tué, apparemment pour sa viande. Sa famille se dispersa, ses femelles et ses enfants erraient désormais sans maître. Une semaine plus tard, le 11 janvier, c'est un autre gorille à dos argenté, Karema, qui était abattu d'une balle logée dans l'œil gauche. Le conservateur du parc accusa le mouvement de Nkunda d'être l'auteur de la tuerie des deux gorilles.

Notre peine et notre indignation étaient extrêmes. Pourtant, je ne pus m'empêcher de me poser des questions. Pourquoi un rebelle en quête de légitimité internationale comme le général Nkunda prendrait-il le risque de salir son image en tuant des gorilles ? Pourquoi ses troupes auraient-elles tué un gorille pour le manger alors que cela ne se fait pas dans la culture rwandophone de Nkunda et de la majorité de ses troupes ? Je connaissais le conservateur du parc, Paulin Ngobobo, depuis plus de deux ans, pour l'avoir eu comme chargé de programme dans mon organisation. Courageux quand il fallait défendre ses idées, il était aussi impétueux et versatile. Quand je voulus lui faire part de mes réflexions, il les écarta d'un revers de la main : « Mais non, Eugène, tu sais bien que Nkunda est derrière tout ça. Tout le monde le sait. » Justement : je me méfie toujours un peu de ce que « tout le monde » sait. Et l'unanimité des ONG de conservation contre Nkunda me paraissait trop facile pour être pleinement convaincante. Le général et son mouvement publièrent d'ailleurs très vite d'un communiqué, le 7 janvier 2007, pour rejeter ces accusations.

La série noire n'était pas finie pour autant. Le 8 juin 2007, une femelle adulte du nom de Rubiga, membre du groupe Kabirizi, était tuée par balles. Et pendant tout le mois de juillet, plusieurs autres animaux furent abattus. Dans le parc, personne ne se souciait de mener une enquête sérieuse. Le mouvement de Laurent Nkunda battait de l'aile. Il était rejeté par une grande partie des Congolais, et mal vu à l'étranger. Son chef était considéré comme un renégat par la hiérarchie militaire de son pays, et on le soupçonnait de plus en plus d'atteintes aux droits de l'homme, en particulier lors de la prise de la ville de Bukavu, en 2004. La RDC accusa vite le Rwanda de soutenir Nkunda, lequel se prétendait le seul défenseur des Tutsis congolais.

Pour toutes ces raisons, il devenait de plus en plus difficile de travailler dans les zones que contrôlait le CNDP. Seules quelques ONG humanitaires s'y aventuraient ; la plupart des organisations de conservation avaient abandonné le terrain. La position du PICG, que je dirigeais, était délicate. Ne pas travailler dans cette zone signifiait de fait la fin de toute notre action de protection des gorilles. Mais notre partenaire gouvernemental, notamment la direction du Nord-Kivu, qui gérait le parc, s'opposait à toute opération en zone rebelle. Certains cadres parlaient même de « conservation patriotique » pour interdire à ceux qui l'auraient souhaité de s'aventurer dans cette zone. Pour le PICG, représentant une coalition d'organisations de conservation internationales comme African Wildlife Foundation (AWF), Fauna and Flora International (FFI) et le Fonds mondial pour la nature (WWF), intervenir ou non pouvait avoir sur son image des conséquences qui auraient largement dépassé le cadre local.

Mes équipes aussi étaient divisées. Dans cette Afrique des Grands Lacs, nous avons tous des histoires compliquées. Les trajectoires ont été bouleversées par des drames collectifs qui nous dépassent et que nous peinons à oublier. J'avais ainsi autour de moi des Tutsis, des Congolais, des partisans de Kabila, des exilés victimes de la guerre... Moi-même, j'étais un Tutsi rwandais, ce dont je ne pouvais faire abstraction. Bref, la situation est vite devenue ingérable.

Une seule chose était sûre : pour assurer la sécurité des gorilles, il n'y avait pas d'autre choix que de discuter avec le CNDP. Je croyais la mission possible et pensais pouvoir être entendu. Mais un de mes hommes me fit justement remarquer : « Eugène, ça va être dur. Même si eux veulent bien te parler, en le faisant, tu leur donnes une légitimité. Et ils vont te manipuler pour cela. » C'était d'autant plus juste qu'aucune prise de contact ne pouvait se faire sans mettre la vie des gens du PICG en danger. Goma était infiltrée tant par les membres du CNDP que par ses ennemis, et les expéditions punitives étaient fréquentes contre ceux qui se rapprochaient trop d'un camp ou de l'autre... Quand je sollicitais l'avis de mes supérieurs, ils se défilaient en mettant en avant mon sens des responsabilités. Que faire ? Je dormis très mal pendant cette période. La journée, j'avais d'interminables échanges avec mes équipes sur le terrain, sans qu'aucune voie évidente ne se précise.

C'est à cette occasion que je m'aperçus du poids émotionnel énorme que provoque la vue d'un gorille. Depuis des années, mes collègues Maryke Gray et José Kalpers identifiaient individuellement les primates à partir de leurs empreintes nasales, une méthode expérimentée par Dian Fossey avec les gorilles de Karisoke. Ils en avaient fait des photos classées dans un album où les individus étaient rangés par familles. J'avais toujours cet album avec moi. C'était un outil de communication que mon prédécesseur, Annette Lanjouw, m'avait conseillé d'utiliser et qui renforçait ma conviction, chaque fois que je le feuilletais, que c'était pour eux que je devais prendre les bonnes décisions. Je ne manquais jamais, à chaque fois que je rencontrais un donateur ou une personne à convaincre, de les lui montrer. Mes interlocuteurs en étaient souvent émus.

J'avais aussi dans mon bureau une grande carte du massif des volcans, que je consultais régulièrement en essayant de localiser les forces armées dans le parc et de prévoir les dégâts qu'elles pourraient y occasionner. Je parvins à la conviction suivante : ne pas entrer en contact avec le CNDP était à la fois faillir à la mission du PICG et trahir mes propres valeurs. Et tant pis pour la façon dont cette initiative pourrait être interprétée.

Je commençai donc par constituer en interne une équipe susceptible de faire comprendre ma position, y compris parmi mes troupes. Je mis à sa tête Anecto Kayitare, coordinateur de la collaboration transfrontalière au sein de notre organisation. Rwandais, né et ayant grandi dans l'ex-Zaïre, il avait fait des études d'ingénieur agronome et avait une fine connaissance du terrain. Jouissant de l'estime de tous, il n'hésitait pas à me parler de façon très directe, ce dont j'avais grand besoin dans ces circonstances. Je lui adjoins le docteur Augustin Basabose, un Congolais né sur l'île Idjwi, au milieu du lac Kivu, et ayant grandi à Bukavu, biologiste et primatologue, à la fois rigoureux et ouvert d'esprit, et Altor Musema, analyste courageux et capable de traverser régulièrement les lignes de séparation entre les armées rivales, ce qu'aucun autre d'entre nous ne pouvait se vanter de faire. Si je restais bien sûr en contact avec le conseil d'administration du PICG, que je tenais au courant de toutes mes démarches, les rapports avec la Direction générale des parcs nationaux de la RDC, basée à Kinshasa, étaient plus difficiles : je devais rencontrer les rebelles sans leur demander leur aval pour ne pas paraître faire dépendre mon initiative d'une instance gouvernementale.

Je n'avançais donc point masqué, et cette transparence porta ses fruits. Nous pûmes ainsi laisser sur place une trentaine d'agents du parc pour leur permettre de garder un œil sur les groupes de gorilles localisés dans la zone contrôlée par les rebelles du CNDP. Altor et Anecto se rendaient régulièrement dans cette zone, où l'autorité provinciale du parc refusait, elle, de déployer des unités supplémentaires, considérant même les gardes restés dans la zone du CNDP comme des déserteurs.

En octobre 2008, le CNDP s'empara du siège du parc de Rumangabo et de la quasi-totalité du parc des gorilles. Les gardes se virent obligés de chercher refuge à Goma. Nous dûmes les rapatrier d'urgence. Mais, alors même que nous cherchions une aide pour eux, nous savions que cette situation ne pouvait pas durer. Le 14 novembre 2008, l'inquiétude au ventre, je traversai la frontière ougando-congolaise au niveau de Bunagana en compagnie d'Altor et y rencontrai deux cadres du CNDP. Ils nous attendaient, vêtus de leurs tenues militaires, l'arme à la ceinture. En me voyant, ils parurent extrêmement déçus. Je ne compris que plus tard leur réaction : ils pensaient que seul un Blanc pouvait diriger une ONG. Cette surprise passée, ils s'assirent et nous commençâmes à discuter.

« J'ai une requête », commençai-je.

L'homme en face de moi restait impassible. Je continuai :

« Il faut que nos gardes qui sont dans la zone que vous contrôlez maintenant puissent y rester en sécurité. »

L'homme acquiesça.

« Je voudrais aussi que vos hommes qui contrôlent cette zone s'occupent des trafics qui y règnent. »

Je pensais à la coupe illégale des bambous et au trafic d'animaux.

Là, l'homme du CNDP secoua la tête :

« Nous avons trop peu d'hommes, ça n'est pas possible. Au contraire, même, nous voudrions que les autorités du parc déploient plus de gardes parce que nos patrouilles ne peuvent pas couvrir toute la réserve naturelle. Je vous demande d'en parler au parc. »

Il insista longuement sur ce point, et je promis d'intervenir.

« Enfin, repris-je, nous voudrions pouvoir faire des tournées d'identification des gorilles. Nous avons dû les interrompre, et nous ne savons plus ce qu'il en est d'eux... »

Là aussi, il acquiesça. Puis ajouta :

« Il faudrait que vous donniez plus de rations et un meilleur équipement à vos gardes dans la zone. Je vous promets que nous ne le leur prendrons pas. »

Il était temps de partir. Les deux hommes et leur escorte nous saluèrent. J'allais rendre compte aux autorités du parc, et eux, à leur chef. La suite justifia ces démarches. Les gardes et leurs cadres retournèrent travailler dans le parc des gorilles depuis Rumangabo, toujours contrôlée par le CNDP. En 2009, les troupes de Nkunda furent intégrées à l'armée nationale congolaise. Quand elles quittèrent le terrain, nous fîmes un recensement sommaire des gorilles de la partie congolaise du parc. Non seulement nous avions évité les massacres, mais la population avait même augmenté.

Cette aventure m'a donné une grande confiance dans notre travail. Nous avons subi d'énormes pressions pour ne pas dialoguer avec le CNDP. J'ai cru que, pour le bien des gorilles, il était bon de le faire malgré tout, en faisant comprendre aux rebelles la nécessité de ce que nous entreprenions. Il n'était pas question de politique. Notre rôle avait été clairement défini dès le début. Nous nous y sommes tenus, refusant tout autre type d'intervention et d'implication. Et cela a fonctionné. J'y ai appris une grande leçon pour le futur.

# Ouvrir la boîte de Pandore

Ils sont une quarantaine qui vont maintenant être répartis par groupes de huit. Le brouillard s'est levé et a dévoilé le volcan à l'arrière-plan. Dans le Silverback Lodge communautaire, c'est l'effervescence du matin. Après qu'ils ont pris un café, bienvenu en ce matin où le froid transperce les K-Way, les visiteurs se réunissent devant leur guide, qui leur explique les règles : à partir du moment où les gorilles ont été trouvés, ils restent une heure avec eux. Il ne faut pas faire de bruit, pas de mouvement brusque, et surtout laisser toujours sept mètres entre eux et les animaux. La règle est parfois difficile à tenir, tant les petits singes ont envie de venir jouer avec ces nouveaux venus et s'approchent d'eux. Mais elle est incontournable.

J'accompagne souvent des groupes de touristes. J'aime ces instants qui précèdent l'émerveillement, le moment où je peux lire sur le visage des gens l'excitation de ce qui va suivre. Les gorilles sont là, nous attendent dans la touffeur de la forêt. Dès 6 h 30, les pisteurs partent les chercher et nous préviennent par radio quand ils les ont trouvés. Alors les groupes s'ébranlent et entrent dans le parc. Jusque dans les années 1990, ce système n'existait pas. Les guides amenaient les touristes sans savoir exactement où étaient les gorilles. Parfois ils passaient une journée entière à les chercher, ce qui agaçait et frustrait les visiteurs. Cela faisait des trajets trop longs, et ils n'avaient pas le temps, une fois qu'ils se trouvaient devant les gorilles, de canaliser l'excitation du groupe, qui se précipitait pour les regarder et provoquait des charges. Aujourd'hui, ils ont des GPS pour marquer le site repéré la veille et usent de téléphones mobiles. Dès que le groupe de gorilles est localisé, ils en signalent l'emplacement aux guides, qui acheminent les touristes sans difficulté.

Mon groupe s'est mis en marche. La fatigue gagne, même si, en montant, la splendeur du paysage ragaillardit les cœurs. Nous croisons des paysans au travail, des femmes surtout, puis atteignons le mur entourant le parc, qu'on peut franchir en quelques endroits. Ensuite, c'est la montée dans la forêt. Il faut se faufiler sous les arbres, faire attention à ne pas s'écorcher. Parfois le halètement d'un buffle se fait entendre, et tout le monde ralentit, le cœur battant. Enfin, nous arrivons : il faut généralement quelques instants pour distinguer les boules noires ramassées sur elles-mêmes du paysage qui les entoure. Puis, ce sont les premiers cris de joie.

Jamais je n'ai vu quelqu'un rester indifférent face à ce spectacle. Et j'ai très rarement vu des comportements irrespectueux ou agressifs. Certes, il faut régulièrement rappeler les règles de distance, mais leur non-respect n'est que le fruit de la curiosité. Certes, il y a les bons groupes et les moins bons, ceux qui ont de la chance et ceux qui n'en ont pas. Parfois les gorilles restent un peu amorphes, plongés dans une sieste, les femelles épouillant le mâle pendant que les petits somnolent. D'autres fois, plus souvent, c'est la fête : les enfants courent, jouent, imprudents, tombent de l'arbre et se réfugient en criant dans les bras maternels. Pendant une heure, les touristes sont les spectateurs privilégiés d'une tranche de vie de la grande forêt, et les plus chanceux se voient offrir l'impressionnant spectacle d'une soudaine colère, quand un dos argenté se dresse et frappe violemment ses poings contre sa poitrine.

Le tourisme est-il une bonne chose ? Certains lui sont opposés par principe. Dian Fossey y voyait une menace pour la survie des gorilles. Quand elle est arrivée en Afrique, la population de gorilles du massif des Virunga était à son niveau le plus bas, passée de 450 individus à la fin des années 1950 à moins de 275 à la fin des années 1970, et elle savait que le contact avec l'homme multipliait les chances d'attraper des maladies mortelles chez les survivants. Amusant paradoxe : c'est pourtant le succès de *Gorilles dans la brume* qui a lancé la « mode »... C'est aussi grâce au film que les dons se sont multipliés et que les autorités rwandaises, qui avaient tant tardé à accorder son permis de travail à Dian Fossey, se sont transformées du jour au lendemain en avocat de la cause des gorilles... Les deux « inventeurs » de l'idée du tourisme aux gorilles, les Américains Bill Weber et Amy Vedder, se sont eux-mêmes posé la question du mal que cela pouvait causer. Et, je l'avoue, il m'arrive, comme tout le monde en voyant les touristes grotesquement habillés se presser devant les animaux, en constatant que certains (rares, il faut le dire) ne respectent pas les règles pourtant peu contraignantes qu'on leur a données, d'être irrité par la vulgarité satisfaite et par le pouvoir arrogant que donne l'argent.

Mais je reste convaincu de la nécessité de ce tourisme. Nous sommes un pays pauvre, et, par le hasard de la géographie, nous nous trouvons dépositaires d'un trésor qu'il nous appartient de conserver. Le tourisme est le seul moyen de générer des fonds pour la gestion du parc, tout en créant des emplois. Aussi cynique que cela puisse paraître, le tourisme avec les gorilles rapporte plus que l'élevage aux abords du parc. C'est pourquoi nous avons délibérément fixé des prix élevés. La visite aux gorilles est un tourisme de luxe que tout le monde ne peut pas s'offrir ; je l'assume : les grands singes ne pourraient de toute façon pas supporter un tourisme de masse. En 1995, quand nous avons décidé pour la première fois de doubler le tarif des visites, nous avons fait une étude pour savoir combien les gens pouvaient payer : la plupart affirmaient qu'ils iraient sans hésiter jusqu'à 500 dollars. C'est le prix aujourd'hui pour une heure de visite.

La mise en place de ces visites avait déjà permis, dans les années 1980, de bloquer un projet du ministre de l'Agriculture rwandais, qui voulait installer des fermes dans le parc. Trois mille à quatre mille hectares de la forêt de bambous entre les volcans Karisimbi et Bisoke devaient être défrichés ; les revenus touristiques ont permis d'empêcher la mise en œuvre du projet. Hélas, il a été appliqué dans la forêt de Gishwati, où il fut à l'origine de la catastrophe que l'on sait. Je frémis encore quand je pense que cela aurait pu – aurait dû – arriver dans notre parc. Dismas Nsabimana, qui était alors directeur du parc, était loin d'être convaincu par cette idée. Mais il fut remplacé par un certain Benda Lema, un économiste qui ne posa qu'une question aux promoteurs : combien d'argent allait-on gagner ? Tout était dit. Et les résultats ont suivi. En 1979, 1 653 personnes avaient visité le parc, payant chacune un prix de 5 dollars. Dès l'année suivante, en 1980, le nombre de visiteurs augmentait de 56 %, et de 99 % pour les étrangers. Bill et Amy projetaient une augmentation du nombre jusqu'à 3 000 personnes, et un accroissement du prix de 5 à 25 dollars par personne. Le nombre de visiteurs augmenta plus vite que prévu pour atteindre un premier pic de 6 952 en 1989, soit une augmentation de 420 % après dix ans de tourisme.

La décennie suivante connut une stagnation, tant l'insécurité au Rwanda était préoccupante. Le génocide entraîna bien évidemment une baisse de la fréquentation. Mais ce ne fut qu'une parenthèse douloureuse. En 2009, 18 855 personnes ont visité le parc, soit une augmentation de 1 140 % en vingt ans. Toute une machine promotionnelle a été mise en place : présentation dans les conventions internationales, notamment à Londres et à Berlin, campagnes de publicité, utilisation d'Internet... Commence alors aussi cette géniale trouvaille de marketing qu'est la cérémonie de baptême des gorilles : tous les ans, les bébés nés dans l'année sont parrainés par un certain nombre de personnalités : Bill Gates, Bill Clinton, Paul Kagame, notre président, Museveni, le président ougandais. Uganda Wildlife Authority (UWA) a lancé en 2009 l'opération *Friend a gorilla*, Deviens l'ami d'un gorille.

Quelques bémols viennent néanmoins tempérer ces succès. Seuls les parcs à gorilles dégagent des bénéfices, et ils doivent couvrir les frais de fonctionnement de tous les autres parcs des trois pays. Leur succès suscite les convoitises de beaucoup d'autres ministères plus pauvres, et l'argent qu'ils génèrent est trop souvent utilisé à d'autres fins que la conservation des gorilles. Les pressions pour habituer un plus grand nombre de gorilles ou augmenter la taille des groupes de visiteurs de gorilles sont quotidiennes, et les tour-opérateurs ont multiplié le merchandising : des porte-clés, des cartes postales, des masques, des emballages, des produits comme le café ou le thé, se servent du gorille comme d'une marque. Malgré la vigilance des ONG de conservation, les autorités des parcs ont du mal à résister à cette envolée.

Mais nous avons pu sauver les gorilles, ce qui est capital. Je ne suis pas naïf au point de ne pas comprendre que nous venons aussi d'ouvrir la boîte de Pandore du profit. Il a fallu, et il faut encore, rester très vigilant pour que les bénéfices profitent aux populations et ne soient pas captés par les tour-opérateurs. Jusqu'à maintenant, je crois que nous y sommes arrivés.

Et les gorilles ? Le succès de ces actions combinées a été pour eux spectaculaire. De 275 individus à son plus bas niveau, à la fin des années 1970, la population du massif des Virunga est passée à 320 en 1989, 380 en 2003. Ils étaient 480 en avril 2010, soit plus que dans les années 1950. Dans le massif de Bwindi, la population des gorilles s'est accrue dans des proportions plus ou moins similaires.

## Bukima, le paradis des autres ?

Cet après-midi-là, au pied des volcans Karisimbi, Mikeno et Bisoke, nous nous exposions au soleil couchant, que les Rwandais appellent *kiberinka* – qui sied aux vaches. Une petite brise tiède soufflait et secouait légèrement la tente plantée sur les lieux depuis plusieurs mois pour protéger le matériel sensible du parc, tels les radios de communication et le groupe électrogène pour charger leurs batteries.

Nous étions venus observer la situation des gorilles de Mikeno (RDC) à la veille de la réouverture de la zone au tourisme. Un recensement sommaire venait de montrer que la population de gorilles dans ce parc se portait plutôt bien, après des années de violents conflits. Notre guide, Didi, répondait à toutes nos questions. Avant d'entrer dans le parc, une femme nous a abordés et forcés à visiter son champ de maïs, saccagé la nuit précédente par les gorilles. Nous ne pûmes que lui prodiguer des mots d'encouragement, tout en sachant qu'ils ne suffiraient pas à résoudre un problème aussi concret et complexe. Didi nous a appris que ces dégâts avaient été occasionnés par le groupe que nous allions visiter, Humba, nom du dos argenté qui en était le chef. Ce dernier était issu de la famille Rugendo, connue pour ses séjours prolongés et dévastateurs dans les champs communautaires. Cette famille en paya le prix quand, en juillet 2007, sept gorilles furent tués.

Nous avons trouvé le groupe Humba à quelque cinq cents mètres de la limite du parc. Ses membres étaient repus, ils ne bougeaient pas beaucoup. Le dos argenté Humba était couché sur le dos et la femelle adulte Magori était assise à quelques mètres de lui. Son jeune bébé d'environ deux ans, en revanche, ne cacha pas sa curiosité en nous voyant et voulut s'approcher pour jouer avec nous, comme si nous étions des amis de longue date ! Mais Didi l'en empêcha gentiment. Le visage de Magori me semblait rêveur. Elle avait la main appuyée sur le menton, dans l'attitude que prennent les hommes quand ils sont plongés dans leurs pensées. Pour calmer la nervosité du dos argenté Humba, qui, à cause de ma présence, commençait à s'agiter, je me suis accroupi sur l'herbe humide et j'ai pris un brin d'herbe que j'ai ostensiblement mâché, ce qui l'a immédiatement calmé. Je voulais avoir suffisamment de temps pour observer Magori. À quoi pensait-elle ?

Au retour, nous avons rencontré Kagabo, le mari de la femme qui nous avait montré son champ dévasté. Il eut des mots violents. Il brandissait la machette avec laquelle il coupait les souches de maïs laissées par les gorilles et nous les tendait avec défi, menaçant de prendre des « mesures unilatérales » si nous ne trouvions pas de solution à son problème. Tandis qu'il nous parlait, je revoyais le visage pensif de la femelle Magori. Devinait-elle la colère des propriétaires du champ de maïs ?

Cinq mois auparavant, cette partie du pays était contrôlée par les rebelles du CNDP. Le groupe de gorilles Humba s'était trouvé pris entre les feux des forces belligérantes. Kagabo lui-même avait dû fuir sa maison pour se réfugier dans un camp de déplacés intérieurs, où lui, sa femme et ses enfants avaient vécu pendant plusieurs mois dans des conditions inhumaines. Le maïs constituait la première semaille de la famille Kagabo après cette longue période de précarité. En le dévastant, les gorilles venaient perturber ses projets.

Pendant que je ruminais ces pensées avec un sentiment d'impuissance, je fus saisi par la beauté du site. De Bukima, on apercevait à l'ouest la chaîne volcanique des monts Mitumba. La trace des coulées de lave des volcans Nyiragongo et Nyamulagira se déversait sur une large plaine de savane. Alors que le soleil déclinait, une lueur rougeâtre provenant des entrailles du volcan Nyiragongo en illuminait le cratère.

Ce jour-là m'apparut en raccourci toute la problématique de la conservation dans cette région : un homme et une femme vivant dans un site paradisiaque essaient de retrouver une dignité perdue. Une espèce animale qui leur fait une vaine compétition est en quête de sa propre survie.

## *La dignité face à la survie*

La question me submerge parfois, alors que je ne m'y attends pas, me laissant à la fois inquiet et indécis. Aurais-je le courage de fuir mon pays si j'étais à nouveau menacé dans ma chair ? J'en discute alors avec d'autres rescapés du génocide. Et, chaque fois, même si le doute nous assaille quand nous nous retrouvons seuls, nous tombons tous d'accord : nous préférerions mourir ici, chez nous, en nous défendant, plutôt que de subir à nouveau la précarité de la vie de réfugiés. Mon père a fui par trois fois les massacres. Puis il a décidé de rester. En 1994, il n'est pas allé vers la rivière Rusizi pour se réfugier au Zaïre. Il s'est laissé tuer. Comme moi aujourd'hui, il avait compris qu'on ne peut pas passer sa vie à fuir.

Le peuple rwandais a survécu dans sa diversité. Il s'est pris en main, il a reconstruit la nation, il a tenté de panser ses plaies. Chacun d'entre nous a dû trouver les moyens de cette reconstruction. Pour moi, elle s'est faite aux côtés des gorilles. J'ignore si j'aurais fait ce chemin vers eux s'il n'y avait pas eu le génocide. Mais je sais qu'ils m'ont aidé à aller au-delà de la haine, au-delà du désespoir.

Je suis fier aujourd'hui de ce que nous avons fait. En oubliant nos querelles, en oubliant nos conflits, mes partenaires congolais, ougandais, mes collaborateurs et moi-même avons réussi à transcender la malédiction pesant sur notre région : nous avons créé un sanctuaire, nous avons sauvé une espèce. Aujourd'hui, 780 gorilles vivent dans un espace qui est à eux, la forêt des Virunga. Ils sont protégés et libres, et les hommes qui partageaient leur territoire n'ont pas eu à souffrir de ce sauvetage ; ils y ont au contraire trouvé de quoi vivre mieux. Ce résultat est enthousiasmant.

Ne crions pas victoire pour autant. Aucun scénario ne peut être exclu aujourd'hui. Les gorilles ont vraiment failli disparaître. Ils se sont réveillés, ont crû à nouveau. Mais cela reste fragile. La conservation d'une espèce est un travail de très longue haleine. Sans un engagement profond et des appuis continus, il serait utopique de penser que l'on peut maintenir ce succès. Je vois les risques se multiplier à l'horizon : que la manne touristique ne suscite plus que conflits et compétition ; que la précarité et la démographie n'amènent à nouveau les populations à piller les ressources naturelles du parc ; que le changement climatique que nous contrôlons si mal ne cause de nouvelles perturbations ; que la guerre n'embrase à nouveau ce paisible refuge…

Mais ce qui est fait est fait. Sur une terre souillée du sang des pires massacres, des êtres ont retrouvé la possibilité de vivre. Nous pouvons, nous devons apprendre d'eux que c'est possible. Maintenant que j'y pense, je crois bien que c'est cela même que, par un beau matin de l'été 1990, au pied du volcan Bisoke, j'ai lu dans le regard du gorille.

# Notes

1. Des années plus tard, en 1994, quand j'ai fait une demande de visa à l'ambassade des États-Unis à Paris et qu'on m'a demandé mon ethnie, j'ai refusé de répondre, disant seulement : « Je suis rwandais. »

2. D'avril à juin 1972, de 100 000 à 200 000 Hutus tombèrent sous les coups de l'armée et des Jeunesses révolutionnaires Rwagasore, l'une et l'autre dominées par des éléments tutsis. Ces massacres avaient été justifiés par une insurrection des hutus dans le sud du pays, le 29 avril 1972, qui avait fait entre 2 000 et 5 000 victimes parmi les Tutsis.

3. Tribunaux communautaires villageois auxquels ont été confiés une partie des jugements concernant le génocide au niveau local pour désengorger les cours de justice nationales.

4. Bill Weber et Amy Vedder, *In the Kingdom of Gorillas*, Simon & Schuster, 2001.

# Table

Cet ouvrage a été imprimé en France par
CPI Bussière
à Saint-Amand-Montrond (Cher)
en janvier 2013

Photocomposition Nord Compo
Villeneuve-d'Ascq

Pour l'éditeur, le principe est d'utiliser des papiers composés de fibres naturelles, renouvelables, recyclables et fabriquées à partir de bois issu de forêts qui adoptent un système d'aménagement durable.
En outre, l'éditeur attend de ses fournisseurs de papier qu'ils s'inscrivent dans une démarche de certification environnementale reconnue.

36-57-0829-6/01

Dépôt légal : janvier 2013.
N° d'impression : 124246/4.